# Damas y adamados

Antonio Bertrán

# Damas y adamados

*Conversaciones con protagonistas
de la diversidad sexual*

Barcelona · México · Bogotá · Buenos Aires · Caracas
Madrid · Miami · Montevideo · Santiago de Chile

*Damas y adamados.*
*Conversaciones con protagonistas de la diversidad sexual*

Primera edición, marzo de 2017.

D. R. © 2017, Antonio Bertrán
D. R. © 2017, Ediciones B México S. A. de C. V., por las ilustraciones.
    Ilustraciones de Marco Colín
D. R. © 2017, Ediciones B México S. A. de C. V.
    Bradley 52, Anzures, DF-11590, México

ISBN 978-607-529-114-7

Impreso en México | *Printed in Mexico*

*Para Rogelio y Tere.*

*Y también para Montse y Marco, Emilio y Claudia,*
*César y Annie por su fraternal amor y solidaridad, siempre.*

*Para todas las marquesas que saben mover el abanico.*

# Índice

Dichosos los que nacen mariposas
o tienen luz de luna en su vestido.

FEDERICO GARCÍA LORCA, *Ritmo de otoño* (1920).

Mitad y mitad, sueño y sueño, carne y carne,
iguales en figura, iguales en amor, iguales en deseo.

LUIS CERNUDA, *No decía palabras* (1931).

No desearás no haber nacido raro [...]
No tendrás miedo de ser diferente.

CÉSAR CAÑEDO, *Mandamientos diversos* (2007).

# Bienvenida al jardín de las delicias

«La diversidad es la mayor riqueza de un hábitat», me dijo Sabina Berman entre los flamboyanes, palmeras y cactus de su Paraíso morelense. Mi anfitriona me aclaró que la máxima es de Charles Darwin, quien incluso fincaba la felicidad en la armoniosa relación del cuerpo con su entorno natural.

Curiosamente esta conversación fue la última que sostuve para el presente libro, la tarde del 13 de octubre de 2016, cuando la escritora me recibió en su casa de campo de Chiconcuac, Morelos. La esencia de esa charla enmarca muy bien a lo que aspira este trabajo de indagación periodística.

Después de *Chulos y coquetones*, volumen de entrevistas con protagonistas del mundo gay mexicano, publicado en este mismo sello editorial en noviembre de 2015, consideré que debía abrir el abanico —con amplio donaire— a las personas de la diversidad sexual. Dicha gama potencia el bienestar social, antes que atentar contra él como sostenían los prejuicios que, en 1901, había detrás de esos versos infamantes que empezaron a circular tras la famosa redada de los 41: «Aquí están los maricones/ muy chulos y coquetones».

Me gusta mucho pensar que, ya en torno al inicio del siglo XVI, un autor como El Bosco había dedicado a los gozos del amor *El jardín de las delicias*, el panel central de su obra más emblemática, actualmente exhibido en el Museo del Prado de Madrid. En ese Edén, en mitad del cual está —a decir de los expertos— la fuente de la juventud, impera una feliz libertad en la que mujeres y hombres tienen relaciones sexuales de todo tipo, incluso con animales fantásticos o se regodean con enormes fresas y granadas.

Las damas y adamados —para usar un término que en 1726 equivalía al menos elegante de afeminados— que integran la presente nómina, pertenecen al espectro de las letras particularmente emblemáticas de la diversidad sexual, LGBT: Lesbianas —o más precisamente bisexuales con una inclinación marcadamente lésbica—, gays y transexuales de ambos géneros; más una buga solidaria, la feminista Marta Lamas, porque en esa riqueza de posibilidades amorosas la tendencia actual es incluir también la heterosexualidad, como estrategia para derribarla de su pedestal hegemónico.

Otra categoría de inclusión en este abanico tiene que ver con la geografía. En el libro previo, aunque algunos de los entrevistados habían nacido en diversos estados de la República, vivían y habían realizado su carrera en la Ciudad de México.

El volumen que tienes en las manos, querido lector, está enriquecido con la presencia de gays que residen y desarrollan sus actividades en ciudades del interior del país: el activista e historiador tapatío Jaime Cobián, el artista sonorense radicado en Tijuana Antonio Escalante, y el joven regiomontano Héctor Orlando Aguirre, quien realiza un activismo muy actual a través de su página de Facebook *El clóset es para la ropa, no para las personas*, con más de 780 mil seguidores al momento de escribir estas líneas.

Los tres fueron entrevistados en su «hábitat natural» aprovechando los viajes de presentación de *Chulos y coquetones* a los que el año pasado fui invitado gracias a la solidaridad de miembros de la comunidad homosexual, a los que no tenía el gusto de conocer antes de estrenarme como autor de libros.

Igualmente, en este volumen me propuse explorar una generación más joven, concretamente de veinteañeros como son Héctor Orlando y Aletze Sebastian Estrada, un chico trans, estudiante universitario. Mi idea era conocer, de manera testimonial, si los jóvenes habían tenido que enfrentar los mismos prejuicios que persiguieron a los miembros de mi generación por atreverse a ser «diferentes». Aunque en el entorno social ambos chicos gozaron de una gran aceptación, en particular de sus amigos, en el íntimo círculo de su familia tuvieron que enfrentar cierto rechazo.

Es evidente que, a pesar de los avances obtenidos en materia de derechos para los homosexuales, aún falta mucho por hacer en aras de la erradicación de la homofobia, una enfermedad social que durante siglos ha atentado contra la felicidad intrínseca a la diversidad natural, al cercenar vidas que habrían florecido y dado frutos hermosos. Incluso, cuando este libro estaba en proceso de elaboración, los peores prejuicios de los grupos conservadores desataron marchas supuestamente a favor de la «familia natural», que impidieron que fueran aprobadas las iniciativas para elevar a rango constitucional el matrimonio igualitario y la adopción homoparental, enviadas por el presidente Enrique Peña Nieto al Congreso el 17 de mayo de 2016.

Las entrevistas las empecé el 2 de marzo de ese mismo año, Jueves Santo, con la primera escritora transgénero mexicana: Sofía Guadarrama, quien con el nombre de Antonio Guadarrama publicó en Ediciones B más de una decena de títulos. Pocos meses después de nuestra charla apareció en esta misma casa editorial *Piso 931*, su primer libro firmado con la identidad sexogenérica que asumió públicamente a principios de ese año, y de manera legal poco tiempo después.

Mientras estaba trabajando en este proyecto, el 27 de octubre recibí la noticia del fallecimiento del activista y artista plástico Antonio Salazar, quien fundó el Taller Documentación Visual, colectivo que desarrolló una serie de materiales gráficos para ilustrar, en la década de 1990, las primeras campañas de la lucha contra el VIH/sida. Como homenaje póstumo a este hombre creativo, valiente y muy crítico decidí incluir la entrevista, que en su mayor parte estaba inédita, que le hice en diciembre de 2014 para la sección «Cultura» del periódico *Reforma*.

Quiero confesar que la entrevista con Bertha de la Maza fue la primera que he realizado a una mujer sobre su ser lesbiana. Se comprenderá que, como un joto que hoy tiene 50 años, fui educado en una sociedad machista y tenía estúpidos prejuicios contra las compañeras «marimachas». Pero el acercamiento a la vida entrañable de Bertha, quien durante diez años amó a un esposo fuera de serie, me ayudó a terminar de superarlos. Ese es, sin duda, el fruto más rico que coseché con este proyecto.

Aunque lo he hecho verbalmente, reitero aquí mi profundo agradecimiento a las y los integrantes de este abanico galante por dejarme entrar a su riquísimo Paraíso interior. Espero haber sido fiel a sus palabras y estar a la altura de su generosa confianza.

Una vez más me encuentro en deuda con el arte de mi hermano del alma, el ilustrador y publicista Marco Colín, autor de las viñetas que dan rostro a cada uno de los entrevistados. ¡Te quiero, Marquito!

Muchas gracias, Yeana González, por abrir desde la dirección de mi casa editorial puertas y ventanas de tinta y papel para que el público contemple un horizonte inflamado de inclusión y de respeto hacia cualquier persona. Paisaje que, cual delicada jardinera, ha cuidado con profesionalismo y esmero mi editora, Alicia Quiñones. ¡Gracias, querida! Y también mi agradecimiento a Emilio Romano por su hermoso diseño editorial.

Rodolfo Naró, pródigamente dotado por la Madre Naturaleza en cuerpo y alma, me honró al ser el primer lector, muy crítico, de estos textos. Y lo hizo con la gratuidad que caracteriza al amor. ¡Gracias, amigo, tuyo es mi retorcido corazón!

Bienvenida, bienvenido a este jardín de las delicias poblado con las riquísimas —¿exóticas?— vidas de lilas y lilos, floripondios, lagartijos, ninfas y ninfos, papagayos, mariposas y mariposones cuyo ser diverso sin duda será fuente de alegría para ti y la sociedad.

ANTONIO BERTRÁN.
Colonia Roma, Ciudad de México, 26 de enero de 2017.

## Sabina Berman
### Feliz en su Paraíso

«¡Te voy a mostrar el Paraíso!», le dijo Isabelle Tardan a Sabina Berman para enamorarla, allá por 1996. Entonces la rubia productora de telenovelas llevó a la escritora a un enorme terreno de su familia en Chiconcuac, un pueblito morelense de feraz vegetación debida a la presencia de siete manantiales cuyas aguas aún corren por un acueducto del siglo XVII que señorea en su centro. Muy cerca de los anchos y no muy altos arcos de este monumento colonial está la antigua Hacienda de Santa Catarina y su iglesia dedicada a San Antonio de Padua, escenarios idílicos para sellar un romance, ya que se alquilan para bodas de señoritas de sociedad.

«Yo fui con unas amigas a un bar gay, al Buganvilla, y vi a Isabelle aparecer como iluminada por un seguidor. A la menor distracción de ella me acerqué y empezamos a hablar.

Todo en ella me parecía atractivo: el olor, la cercanía, cómo se reía, todo, todo. Y me invitó a Chiconcuac, acá, donde estamos, a ver un terreno suyo que es éste y era un terreno baldío; bueno, eran dos terrenos, y me decía: "Quiero construir para mis padres una casa y una para mí". Y yo dije: "Ya, me voy a quedar acá el resto de la vida". Fue casi como una sensación de cuerpo, clarísima».

La historia de su romance la cuenta Sabina en el fresco porche de esa casa que hace dos décadas soñaba construir su pareja. Estamos sentados en cómodos sillones de mimbre con blanquísimos cojines, frente a un verdadero edén: se oye piar a diversas aves, hay flamboyanes en flor, palmeras, un arbusto que da frutos rojos en pares que la picardía popular bautizó como «huevos de obispo» y un vigoroso cactus que rebasa los dos metros y apenas hace dos años medía pocos centímetros. «Chiconcuac significa "lugar del agua" en náhuatl; a escasa profundidad hay agua, por eso cualquier cosa que plantes crece de una manera fantástica», explica mi anfitriona.

La inmensa propiedad está bardeada con tezontle y en el nicho que remata el arco de la entrada dos aves de barro se dan un beso en perfecta congruencia con lo que advierte una alegre placa de talavera ovalada: «La Casa de las Palomas». Antes de tocar la campana de la entrada advierto que dos altos pinos que flanquean el portón de madera también se han inclinado, como atraídos amorosamente, hasta enlazar sus copas.

Abre una muchachita sonriente que me conduce por los senderos del jardín, que pasan junto a la alberca de la que debe ser la casa de los señores Tardan, herederos de la célebre firma de sombreros, y más allá desembocan en el hogar de Sabina e Isabelle. La escritora se levanta de la mesa del comedor

—un largo tablón de sencillez monacal—, donde suele escribir en su computadora por la tarde cuando baja el calor, y sale al porche para recibirme. Viste unos *jeans* blancos, blusa de algodón azul cielo y tenis sencillos, también blancos. A sus 61 años, todo en ella despide frescura y cordialidad.

Yo la había entrevistado en su departamento de la colonia Condesa, que mira a las copas de los árboles del Parque México, una tarde invernal a principios de 2012. La conversación giró en torno al feminismo y su famosa sátira al machismo, *Entre Villa y una mujer desnuda* (1993), dado que era para un libro sobre los 20 años del Grupo de Información en Reproducción Elegida (GIRE) —organización no gubernamental que fundó Marta Lamas junto con Patricia Mercado, María Consuelo Mejía, Sara Sefchovich y Lucero González— avocada al derecho de las mujeres a decidir sobre su cuerpo e interrumpir un embarazo no deseado.

Al solicitarle por mail, no sin cierta incertidumbre debido al tema, una entrevista que ahora abordara su vida personal como gay —término que prefiere al de lesbiana—, la autora me sorprendió por su respuesta directa y generosa: «Si se trata de verme en mi hábitat natural, yo andaré por Chiconcuac, Morelos. Te invito una tarde y después de la entrevista te quedas a comer».

Esa tarde fue el jueves 13 de octubre de 2016, horas después de que la Academia Sueca anunciara el Nobel de Literatura para Bob Dylan. El tema surge cuando hablamos sobre su oficio de escritora, que define como una «fascinación inmensa con el lenguaje»; aunque «soy una escritora a la que le cuesta mucho el lenguaje porque continuamente me doy cuenta de cuán artificial es y cómo nos separa de la realidad». Por eso opina: «Que le dieran el Premio Nobel a Bob Dylan no me gusta nada porque, claro, Bob Dylan agregó una densidad literaria a la canción popular contemporánea, pero al mismo tiempo Bukowski estaba revolucionando en el mundo la poesía, y al mismo tiempo Kundera estaba revolucionando la novela, y de esa forma se transformaba la manera de ver la existencia. Creo que es como invitar a Kundera a hacer un cameo en una película y después darle el Oscar porque es polémico. Me duele por la literatura este Nobel, y por Kundera, pero esto es bien común porque a Brecht tampoco le dieron el Nobel cuando cambió la manera de escribir teatro. En mi admiración por estas figuras que han contribuido en algo al uso del lenguaje está mi intención siempre de no nada más contar por contar sino saber por qué estoy contando y a quién le estoy contando».

En ese Paraíso, que es «hábitat natural» de quien se define en su perfil de Twitter como «Humana. Primate», una idea expuesta en el siglo xix por Charles Darwin en su teoría evolutiva, que actualmente tiene fascinada a Sabina, vertebrará la conversación: «La alegría, la salud, la felicidad están en la conexión del cuerpo con la naturaleza, particularmente en los entornos donde hay abundancia y diversidad». Igualmente despuntará la visión de la feminista sobre la necesidad no sólo de apartarse sino de derrumbar esa pirámide machista que rige a la sociedad desde hace siglos y en cuya cúspide está «El Hombre» como medida de todas las cosas.

Curiosamente, en ese mundo natural e íntimo que la también guionista procura sólo dejar una vez a la quincena para viajar a la Ciudad de México y grabar en TV Azteca su programa de entrevistas «Berman: otras historias», veo sólo presencias femeninas: la chica que me abrió la puerta y Hortensia, que nos trae agua y se retira a la amplia cocina a preparar el arroz y el mole negro que comeremos, con el que Sabina se manchará los dedos; las tres o cuatro perritas salchicha que dormitan a la sombra del porche mientras platicamos y que son más bien de Isabelle, porque Sabina prefiere los gatos... Y, por cierto, ¿dónde está hoy Isabelle?

«Está en la Ciudad de México, va a producir una película, entonces tiene una serie de juntas y llegará cuando termine. O sea, yo no controlo su vida, pero estoy al tanto», me explica Sabina, quien en las más de cuatro horas que conviviré con ella ni siquiera tendrá a mano su celular. Sólo procura tener cerca un cigarro electrónico, aunque fuma tabaco mientras platicamos sobre su obra, la diversidad sexual, y sus amores con mujeres y hombres —como el director de teatro Abraham Oceransky, con quien vivió 11 años— hasta la noche que apareció Isabelle en el bar «como iluminada por un seguidor» y la invitó a Chiconcuac:

«¡Pero resultó que ella estaba casada!», (risas).

*¿Con un hombre?*

No, estaba casada con una mujer y tenía muchos compromisos... Entonces no fue tan sencillo (carcajadas).

*¿Qué tuviste que hacer para conquistarla?*

Nada, sólo sostener esa emoción inicial y, bueno, la apuesta de que ella también la sostuviera. Dices: «Esto es único, esto no se repite muchas veces en la vida, quién sabe si no se vuelva a repetir jamás». Y sólo puedes rendirte ante la sensación y decir: «Ojalá del otro lado, en ese planeta de la otra persona, corresponda la misma sensación». ¡Y correspondió al final! Mil veces le dije: «No, yo ya me voy, es muy complicado». Y ella me respondía: «Muy bien, bye». Y después ella regresaba y decía: «No, espera, lo he pensado, sí te extraño». Fue un proceso muy largo, nuestro encuentro fue muy paulatino y por épocas, y ahora nos llevamos extraordinariamente bien. Ella era productora de telenovelas en Televisa, tenía un gran poder, le pagaban muy bien pero tenía una gran frustración por el resultado de lo que hacía. Entonces, cuando le enseñé *Entre Pancho Villa y una mujer desnuda* y le dije, «Isabelle, quiero hacer esto en teatro», «Yo lo produzco», me propuso. Y tuvimos una reunión con un director de teatro muy importante que me empezó a explicar a mí la obra y lo primero que me dijo fue que no era una comedia, sino un melodrama de una mujer muy maltratada por los hombres y por Pancho Villa (risas). Nos fuimos de ahí e Isabelle me dijo: «No entiende, dirígela tú». Y gracias a Isabelle empecé a dirigir teatro y ella a producir, y así nos volvimos autosuficientes y desde entonces hemos hecho muchas cosas juntas, también otras separadas, pero nos ganamos las dos la autosuficiencia.

*Dices que de pronto hubo separaciones, ¿por qué?*
Porque la vida te cambia todo el tiempo. Ha habido momentos en que no nos entendemos y no nos queremos, y entonces nuestro método es «bueno, si no queremos estar cerca, estamos lejos». Las dos tenemos una gran capacidad de soledad. La soledad para nosotras no es un padecimiento. Sí, hemos tenido épocas en las que una se va, la otra regresa, épocas de todo tipo.

*Pero siempre queda el amor que se tienen, ¿no? Supongo que ese es el vínculo.*
Sí, claro.

*Y tú, como creadora, también necesitas soledad para escribir.*

Bueno, eso ni se diga. Mira: una de las cosas muy buenas es que Isabelle fue pareja durante varios años de un escritor argentino, no puedo decir el nombre porque es la vida privada de Isabelle, pero eso ayudó mucho (risas) porque ella entendía que nuestro oficio consiste mucho en estar riéndonos frente a una computadora varias horas al día.

*Isabelle es cinco años menor que tú, nació en 1960, y es pariente de los sombrereros...*

No, no sólo es pariente, es la heredera. Es hija del señor Tardan y nieta del que fundó la Casa Tardan de sombreros. Con los sombreros Tardan se hizo la Revolución Mexicana, porque cualquier ejército que tomara la Ciudad de México hacía dos paradas obligadas: primero en el Sanborns de los Azulejos y luego se iban a la Casa Tardan a comprarse sombreros. El abuelo Tardan tenía listos los sombreros norteños y los sombreros de los charros y de los zapatistas y los cascos para Villa. O sea, él no tenía filiación política (risas). ¿No es fantástica la historia de la Casa Tardan? El padre de Isabelle es mexicano pero su abuelo fue francés, y también su mamá (de apellido Perrín) es francesa, llegó a México muy joven.

*Antes de empezar la entrevista me adelantabas que llevabas a tus novias a una y otra reunión familiar hasta que tu hermano, un fin de año, te preguntó qué pasaba y tú le respondiste: «Lo que estás pensando...».*

Sí, «lo que ves», como decía Juan Gabriel («lo que se ve no se pregunta»). Excepto que mi familia es una familia judía que sí pregunta y sí quiere tener las definiciones verbalmente, en el lenguaje. Y bueno, le dije: «Mira, estoy experimentando en mi vida».

*¿Nada más a tu hermano?*
No, a toda la familia. Y se los dejé, ahora sí, que de tarea. E hicieron su tarea. Con eso quiero decir que sí hubo una revolución intelectual en mis familiares y todos salieron del otro lado de esa revolución cambiados: ahora son radicalmente pro diversidad.

*Tu mamá, Raquel Goldberg, vive, ¿verdad?*
Sí, tiene 89 años, es psicoanalista y maestra de varias generaciones porque dio clases en la Universidad Nacional de México. Es una de las fundadoras de la Asociación Mexicana de Psicoterapia, ahora está creando grupos de conciencia de género en los Conapred del país. Mi madre se volvió feminista a raíz de que sus dos hijas nos volvimos feministas. Era una freudiana ortodoxa hasta que mi hermana (Fey) y yo nos salimos del huacal y empezamos a hacer una crítica feroz al patriarcado, y ella nos siguió, se subió al tren de nuestra generación y después al de la diversidad.

*Supongo que al ser psicoanalista te entendió mejor que todos, ¿no?*
(Piensa unos segundos.) A ver: yo escribí una obra de teatro que se llama *Feliz nuevo siglo Doktor Freud* (2002), dedicada a mi madre, donde la obra te muestra cómo la narrativa científica tramposamente también responde a lo mismo que las narrativas religiosas y sus límites son, igualmente, los prejuicios. Cómo Freud no pudo entender a las mujeres, siempre dijo «No las entiendo. ¿Qué hay del otro lado, qué querrán las mujeres?».

*Y planteaba que tienen envidia del pene.*

Claro, él decía, «tienen envidia del pene». Y fíjate que también por esa circunstancia biológica, decía Freud, envidian poder manejar coches (risas), tener dinero, ir a donde quieran, casarse con quien quieran, y lo único que puede curarlas es tener un hijo porque eso las obliga a ya no tener envidia del pene porque están demasiado ocupadas con el hijo que, si tienen mucha suerte, va a tener pene. ¡Es una narrativa nada más pseudocientífica! Así que con los cambios a los que la enfrentamos sus hijos, creo que mi madre pasó de ser una freudiana ortodoxa a ver los límites de la narrativa freudiana. Primero se volvió feminista y ahora es totalmente pro diversidad. Para darte un ejemplo de cómo es mi madre: después de esa cena ella tenía que ir a un congreso, y ahí uno de los psicoanalistas les quiso mostrar en vivo un modelo terapéutico que consistía en que tenían que elegir a una pareja y frente a esa pareja hacer una serie de ejercicios. Bueno, mi madre buscó a la única mujer gay de todo el congreso (risa) y se pasó una semana haciendo los ejercicios terapéuticos. Ahora no me sé el nombre pero vale la pena que la busquemos en internet porque es una psicoanalista que escribió varios libros importantes para la diversidad (Elisabeth Young-Bruehl, 1946-2011), y le transmitió a mi mamá su concepto de que hay una identidad más allá de lo femenino y lo masculino, que sería la identidad de ser un ser humano en el planeta Tierra. Ella lo hizo dentro de la narrativa psicoanalítica, pero cuando regresó a México mi mamá se fue a la primera marcha gay que sucedió ese año. Fue a marchar solita, ya era un asunto suyo, de ampliación de conciencia, y fue a decir: «Sí, diversidad, ya que se caiga la pirámide patriarcal que a todos nos pesa». Tengo la suerte de que mi familia se toma muy en serio lo privado y que no entiende esto de los secretos; son muy íntegros, tienen una sola narrativa.

*Dices que hicieron la tarea, ¿ésta consistió en reflexionar o también en preguntarte?*
No, a mí no. Consistió en estudiar, en asomarse a otras vidas. En el caso de mi mamá, bueno, ya ves el nivel impresionante de lo práctica que es, mira que se buscó a la única psicoanalista gay de todo un congreso y tomó con ella un curso intensivo (risas).

*Tú atestiguaste la primera unión de una pareja homosexual bajo la figura de sociedad de convivencia, en Iztapalapa (en marzo de 2007).*
Sí, fui madrina de Antonio (Medina) y de Jorge (Cerpa).

*¿Tú piensas casarte con Isabel?*
No.

*¿Por qué? ¿O qué me importa?*
(Piensa unos segundos) Sí, es una muy buena pregunta. Es que nosotras no queremos reproducir el modelo patriarcal de la familia, nos angustia la posibilidad de que una vez que firmemos algo nos sintamos atadas. Y fíjate que creo que, si me apuras, es tal vez la misma postura de una mayoría (de la comunidad homosexual). Alguien me decía, un sacerdote, que el hecho de que no ha habido tantos matrimonios igualitarios en la Ciudad de México, creo que tiene que ver con esto. Eso no quiere decir que no debemos exigir que existan, es bien distinto. Pero a medida que estamos cambiando de edad, Isabelle y yo sí estamos pensando en

conseguir los derechos legales que otorga el matrimonio igualitario porque si mañana pierdo el conocimiento en un accidente y voy a dar a un hospital, yo quiero que ella decida sobre mi salud, le tengo toda la confianza. Y si me muero, yo quiero que ella me herede, es lo único justo porque casi todo lo que tenemos lo hemos construido juntas. Esos son los dos principales asuntos que me preocupan y veo que el camino para lograrlos es el matrimonio igualitario. Además, el matrimonio igualitario es el umbral de un cambio cultural muy importante, no sólo es la unión de personas del mismo sexo, tiene que ver con las familias de madres solteras, con las familias formadas por gente que viene de otros matrimonios con hijos de esos otros matrimonios; es aceptar la variedad en el modelo de convivencia y derrumbar la maldita pirámide de El Hombre —con mayúsculas— y su esposa, esa sí en minúscula. Es pasar a otro sistema de convivencia donde la pirámide desaparece, por eso es muy importante.

*¿Qué odias más, la palabra «machismo» o la palabra «homofobia»?*

(Piensa unos segundos y luego ríe) ¿Por qué tengo que jerarquizarlas? Es parte del problema de El Hombre. Hay una manera de jerarquizar la realidad que nos viene de muy antiguo, siglos atrás, donde se coloca a El Hombre en la punta de la pirámide, ese es el ser humano y después todo se deriva hacia abajo. Esa manera de ver la realidad es la manera machista y es de donde, afortunadamente, yo me zafé. Una de esas frases que te marcan de por vida la leí en *Cien años de soledad*, dice: «Y el Coronel Aureliano Buendía nunca jugaba juegos donde de principio podía perder» (risas). Se refiere, creo, a las damas chinas. ¿Por qué jugarías un juego donde puedes perder? Bueno, eso es para mí el juego del machismo, y yo no le entro. Cuando detecto una organización que tiene esa pirámide impuesta consciente o, más a menudo, inconscientemente, me voy. Me ha sucedido más recientemente, sin decir nombres, en una revista importante mexicana donde me invitaron, entre otras cosas, porque soy mujer para tener una mayor paridad, pero cuando vi que la mayor paridad consistía en que éramos tres mujeres y 13 hombres (risas)...

*La dejaste.*

Bueno, la verdad no. Estuve un tiempo, pero vi que de veras era yo una minoría en los efectos prácticos. Los de abordo, los señores, citaban a santos del medievo para justificar sus argumentos y yo dije: «Bueno, si ya estamos citando eso también podemos citar a Hitler como ginecólogo». Esto ya no es una discusión seria y estos señores son machistas, y son más difíciles de tratar porque no lo reconocen ni han hecho el trabajo de indagación interna para darse cuenta de que lo son. Entonces, ¿por qué estaría yo acá? Una de las cosas que sucedió a raíz de que abrí temas sobre el machismo, es que uno de los colaboradores escribió un largo ensayo sobre por qué las mujeres no son ni pueden ser escritoras, ¡basándose en Darwin! Y cuando se publicó, sin ninguna consciencia de por qué estaba sucediendo precisamente este súbito machismo contra las mujeres inexistentes (risas) —porque éramos 3 contra 13—, pensé: «¿Por qué jugaría yo un juego donde está cantado que voy a perder?» Y me salí. Me ha pasado en innumerables ocasiones y siempre se lo digo a las mujeres que me preguntan sobre situaciones semejantes y a los gays: «Salte de ese juego, el planeta es demasiado amplio como para quedarte encerrado en un juego de damas chinas donde estás jugando contra cinco adversarios tú solo».

*Permíteme pedirte otra jerarquización: ¿qué has padecido más: el machismo o la homofobia? ¿O van de la mano? Porque muchas veces las lesbianas son doblemente discriminadas, por ser mujeres y por ser lesbianas.*

Es que es parte de lo mismo, es de nuevo esa pirámide donde está El Hombre. Yo estuve muy cerca de Carlos Monsiváis y allí me fue más claro al observar lo que le pasaba a él con el *statu quo* de los intelectuales mexicanos. Ahí me daba cuenta más claramente de la homofobia, pero el machismo es tan constante, tan omnipresente que borra al otro, sí. Ustedes, los gays hombres, según esta pirámide, son unos estúpidos porque habiendo nacido en la punta se bajan un escalón (risas). Ahora la pregunta es ¿por qué? Porque aparte de esa pirámide está la realidad y la realidad es inmensa en comparación contra esa pirámide que imponemos a la realidad. Igual que a mí no me interesa estar en una revista machista, obtengo muchos privilegios reales por estar fuera de la pirámide. Tengo temas no convencionales y para un escritor eso es todo, tener temas todavía no escritos.

*¿Por ejemplo?*

Por ejemplo *Entre Pancho Villa y una mujer desnuda*, que fue mi primera obra con resonancia y una de las primeras que escribí. Tuvo la resonancia porque estaba muy bien escrita, pero sobre todo porque trataba un tema sobre el que nadie había escrito y para mí era tan sencillo escribirlo como narrar la cotidianidad de mi vecina (risas). Yo escribí la cotidianidad de mi vecina, que además ahora puedo decir quién era porque me dio permiso: Esther Seligson (escritora y poeta, 1941-2010). Es el relato de Esther con un intelectual muy conocido (Adolfo Gilly) que escribió un libro muy conocido (*La revolución interrumpida*) que yo había leído en la universidad, y nada más lo personifiqué en Pancho Villa. Entonces, ahí están esos temas. Ahora estoy escribiendo sobre la naturaleza y el lenguaje. Ahí están los temas, sólo te tienes que salir de la pirámide si quieres escribir algo que no tenga nada que ver con la pirámide.

*Precisamente sobre la naturaleza, en la presentación de* El clóset de cristal *de Braulio Peralta (27 de septiembre de 2016), citabas de Darwin que la diversidad es la mayor riqueza de un hábitat. Y mira en qué hábitat estamos.*

Y fíjate que otra de las cosas maravillosas que dice Darwin, que no es un filósofo sino un científico y eso hace toda la diferencia, es que en los hábitats donde hay abundancia, hay felicidad. Lo pone con esas palabras: hay felicidad, hay alegría, hay salud. Y en donde hay escasez, hay tiranía, hay infelicidad, hay enfermedad. Y lo curioso es que no dice que la abundancia causa todo esto, sino que son sincrónicos, como el I Ching, en el que se pasa de un estadio a otro estadio, de una situación total a otra situación total. Y lo que tenemos que hacer en México y en todas partes en Occidente es pasar de la pirámide patriarcal al hábitat de la diversidad. A diferencia de hace 20 años, ahora hay un convencimiento en la élite cultural de que debemos pasar a un país donde la diversidad tenga derechos y eso hay que aprovecharlo y hay que ponerlo a trabajar.

*En tu novela*, Amante de lo ajeno *(1997), tenemos a Santiago, bisexual, y a Felipe que es más gay; y en el guion de* Macho pero no mucho *tienes un personaje homosexual, pero creo que no has abordado mucho esta temática en tu obra, ¿o me equivoco?*

Sí, está. Por ejemplo, en *Entre Pancho Villa y una mujer desnuda* está por abajo, está mucho en las acusaciones hilarantes que hace el macho de que todos los hombres que no comparten su manera de ver el mundo son homosexuales. *Muerte súbita* (1989) se trata de un triángulo de dos hombres y una mujer; en *Testosterona* (2014) el personaje de la mujer es bisexual; *Macho pero no mucho* es una comedia, y lo que hice fue tomar el personaje de *Modisto de señoras* (cinta protagonizada en 1969 por Mauricio Garcés) y colocarlo en el presente, cambiarle totalmente la circunstancia. Entonces se vuelve una comedia porque es un heterosexual que finge ser gay porque le encanta el exterior de colores glamorosos de los gays, pero es un heterosexual, o sea, es un hombre híbrido, y de pronto por ciertas circunstancias tiene 24 horas para convertirse en un gay completo y descubre lo que suele estar detrás de la depredación sexual que es la homofobia, el miedo a los otros hombres. Es una comedia sobre «ok, vamos a admitir a los gays, bueno, pero ahora te tienes que poner tu etiqueta, no puedes cambiar de equipo de futbol, te quiero con etiqueta». Yo creo que en muchas cosas que he escrito está eso. En *La mujer que buceó dentro del corazón del mundo* (2010) no está, pero sí en el siguiente libro, donde aparece su protagonista, Karen: *El dios de Darwin* (2014), que es la lucha entre las religiones y la ciencia en nuestra época. Todo arranca por el asesinato de un transgénero en los países árabes, así que creo que está muy visible no porque yo quiera hacer ciencia a través de la literatura, sino porque me parece uno de los temas más emocionantes, y de los grandes espectáculos de nuestra época, cómo se está derrumbando la pirámide patriarcal que durante más de 20 siglos estuvo rigiendo la manera humana de pensar.

*Me resulta muy claro cómo señala ese machismo a los hombres homosexuales, pero lo que quería preguntarte es ¿cómo opera contra las mujeres homosexuales?*

Te cuento una cosa: en esa revista yo invité a Ana Francis Mor a escribir como parte de la idea de renovar las plumas femeninas, y escribió un artículo que se llamaba «¿Por qué no hay cuartos oscuros para lesbianas?» (*Nexos*, 1 de abril de 2011). Ana Francis estaba en El Vicio (el bar de Jesusa Rodríguez y Liliana Felipe) armando cuartos oscuros cada semana (risas) y se sorprendía mucho de que sus amigas se quedaban platicando en las mesas y no querían entrar al cuarto oscuro (risas) como los hombres gays.

*Sí, en el bar gay ni siquiera pasamos por la barra, sino que nos metemos directamente al cuarto oscuro.*

¡Además para los gays el mundo es un cuarto oscuro! (carcajadas). Monsiváis me decía que podía reconocer a un gay a 100 metros. «¿Pero cómo?», le preguntaba. Y él me respondía: «Por la mirada». En fin, y Ana Francis escribió un texto fascinante que durante un mes fue el más leído de la revista. ¡Pero no la volvieron a invitar a escribir! ¿Por qué? Porque los textos, las historias que no se someten a la pirámide chirrían, le hacen daño a la pirámide, la desmienten. Es la misma incomprensión que tiene el Papa sobre estos gays que quieren salir de los confesionarios o las mujeres que quieren oficiar misa o que dicen: «¿No habrá sido que Adán nació de entre las piernas de Eva y no como dice la Biblia?». Y el Papa lo que siente, nada más, es una gran molestia y no alcanza su intelecto a apalabrar qué sucede. Ahí está entrando de golpe el tabú, pero lo que es grave es que sucede fuera de la esfera del lenguaje, en el subconsciente, como te diría Freud.

*Me llama mucho la atención que sigues en Twitter al Papa Francisco.*

Porque este Papa me parece especialmente inteligente, me doy cuenta de que está buscando la solución a las contradicciones de la Iglesia y a cada rato, fíjate, roza cosas que yo estoy trabajando en mi escritura. No es una casualidad, creo que es generacional, por eso me interesó mucho su encíclica sobre la naturaleza (*Laudato si'*, 24 de mayo de 2015), en la que hay casi la intención de encontrar a Dios en la naturaleza. El error de las religiones patriarcales, que es un error muy antiguo, de hace bastantes siglos, fue pensar: «Como no encuentro esa inteligencia superior que intuyo en la realidad, la invento, la fantaseo». Entonces, sobre el mundo natural hay un mundo sobrenatural, fantástico, es el mecanismo del mito.

*Que produce narraciones muy hermosas, ¿no?*

Así es, pero de fantasía. Es un mecanismo de contar historias para atrapar la realidad y explicarte el mundo. El Papa Francisco se da cuenta de eso, y dice: «Pero no podemos renunciar a esa inteligencia superior que le da orden a la existencia». Y empieza a buscarlo en la naturaleza y tiene razón, ahí está. Ahora el problema de su encíclica es que no aparece un perro, un gato, que son los animales que nos rodean en el entorno hogareño, ya no digamos que no aparecen ballenas, delfines (risas). Es decir, es un Papa que está en su oficina tratando de resolver un problema y la solución está fuera de su oficina. Además es un hombre que no tiene esos encuentros de cuerpo a cuerpo con otros seres humanos, que le pudieran recordar que es un cuerpo antes que un intelecto, entonces él está en una situación fascinante. No le pierdo la fe al Papa.

*¿Podemos ir un poco a tu infancia? ¿Qué recuerdas, sobre todo, en relación a la construcción de tu ser diferente?*
Fíjate que es lo contrario a una construcción. De niña insistía en comer con las manos y mi madre me preguntaba «¿y por qué? Y yo le decía «porque no entiendo por qué tengo que someterme a los cuchillos y tenedores». Había una necesidad de...

*¿Transgredir?*
No, fíjate que no. De tocar la verdad con los dedos. Estar en la verdad. Y una gran desconfianza (risa) de los primates, de lo que me querían imponer. Siempre tenía eso, que no sé de dónde me viene. Pero, por ejemplo, no aprendí a leer el reloj hasta que estuve en preparatoria, me negué a esas cosas.

*¿A las imposiciones?*
A cuadricular el tiempo. Me cuestionaba por qué tenía que dividir el tiempo, que no tiene divisiones, en estas divisiones hechas por humanos. Yo creo que era una gran creencia de que existe algo más que lo humano, y eso me viene de familia porque mi abuelo paterno era escritor de Biblias, era

un hombre místico porque según la tradición judía, el escriba de Biblias no transcribe un texto a otra superficie, sino que entra en un estado de conocimiento y cada letra que escribe entiende por qué la escribe, cada palabra, cada frase. Entonces esa consciencia de que había algo más allá de lo humano estaba en mi casa todo el tiempo. Sí, tuve una sensación clarísima de que la verdad no estaba en lo humano ni en el lenguaje... lo incluía. Entonces tenía una gran resistencia a meterme en la cabeza y someterme a reglas cuya razón no veía, no me era aparente. Igualmente, cuando entré a la pubertad me pasó con mi sexualidad. Sí, empecé a notar que tenía muchos deseos de ir a abrazar gente (risas), de darles besos. Veía a gente con auras, textual, y me enamoraba, como los adolescentes, cada mes de otra persona, y empecé a notar que había una indiferenciación en cuanto a género.

*¿Te atraía igualmente ir a abrazar a un compañero que a una compañera?*
Sí, y tuve francos enamoramientos. Mi primer amor fue mi mejor amiga de la escuela, Eva, que era brillante, hermosa, campeona panamericana de nado sincronizado, irreverente. Yo estaba enamorada de Eva y sí, jugábamos luchitas... Te estoy hablando de cuando teníamos 14 años y jugábamos luchitas que terminaban en unos besos así muy raros (risas). Muy raros y no, porque las dos sabíamos lo que estaba pasando pero no teníamos toda la narrativa para... y qué bueno, porque sucedió de una manera muy poco conflictiva.

*Porque supongo que no te causó la famosa culpa judeocristiana.*
No. Y además a mi alrededor no había un aprecio por los que se sometían, sino por los héroes culturales que se

rebelaban y eso tiene mucho que ver con ser judío. Mi siguiente gran enamoramiento fue de una maestra, bueno, de Esther Seligson. Iba y me sentaba en su oficina de la edición de una revista que se llamaba *Aquí estamos*. Me sentaba en su oficina y me quedaba viéndola, a ver si pegaba (carcajadas). Ya tendría 17 años y la perseguía por todas partes. Yo me fui de la casa de mis padres a los 17 años, porque ya quería irme, y le hablaba a Esther a las dos de la mañana ¡y me contestaba! Y le leía poemas que le había escrito y ella me decía: «Muy bien, me gusta mucho, vuélvemelo a leer». Entonces yo decía: «¡Oye, esto es un gran amor!» (risas). ¡Además de que me los publicaba! Hasta que, ésta es una buena historia, hasta que platicando con Astrid Hadad y la Beba Pecanins empezamos a hablar de nuestros enamoramientos de Esther e hicimos una apuesta: «A ver, la primera que se acueste con Esther gana». Y cada quien puso 100 pesos —que era mucho dinero para nosotras en esa época—. La Beba fue la primera que la visitó en su departamento con algún pretexto. Después nos habló y declaró derrota. Luego me tocaba a mí, entonces fui y le hice una pregunta sobre la Biblia y Esther se tendió sobre su tapete persa con su pitillera y me habló, y yo perdidamente la veía rodeada de auras, ya multicolores, y cuando me dijo: «Ya es necesario que te vayas», ¡la besé! Y Esther no me corrió de su departamento, me dejó que la besara y la besara y de pronto se separó y me dijo: «Ahora sí te vas, tengo que recibir a mi corrector de estilo (risas)», me empujó y cerró la puerta. Claro que esa noche, cuando recibí las llamadas de Astrid y la Beba, les dije, «pues, ¿saben qué? No fui, ¿eh?» (risas). ¡Ya no me importaba el dinero de la apuesta! Pensaba: «Yo voy a vivir con Esther, vamos a ser pareja, vamos a tener tres perros, yo le voy a poner una casa para que escriba». Lo tenía ya formulado. ¡Y Esther se fue de México! (carcajadas). Y después un amigo me dijo: «Sí, huyó, estaba aterrada de lo que le querías proponer, tenías 17 años, era una relación prácticamente contra la ley». Bueno, no sé si huyó por mí pero se fue.

*¿Y Astrid también fue?*
Astrid sí fue, pero declaró derrota y yo me sentí muy muy aliviada.

*Entonces fuiste la más atrevida y la que más ganó, finalmente.*
Claro. Pero Esther se fue y lo siguiente es que me enamoré de mi profesor de teatro, de Abraham Oceransky (que nació en 1943 y le llevaba casi 12 años), con la misma pasión y con la ventaja de que era correspondida. Porque la idea de que los mejores amores son los platónicos es una tontería; los mejores amores son los reales. Y estuve muy enamorada de Abraham muchos años, hasta que nos separó nuestra idea de cómo hacer teatro. Nos volvimos incompatibles, ya no podíamos vivir juntos. Entonces esa construcción de soy gay, soy heterosexual, yo no la he vivido.

*¿Prefieres decir «soy gay» a «soy lesbiana»?*
Sí. ¿Sabes?, no me gusta la palabra... No sé por qué. ¡No me gusta! Creo que es porque lo gay me encanta porque significa alegría, alegre; me parece fantástico y tiene una larga tradición en el lenguaje. Existe esta obra de teatro de... ¿cómo se llamaba la mejor amiga de Picasso?, de Gertrude Stein, *Las señoritas gay*, que me encanta, y todavía estamos discutiendo si Gertrude Stein está usando en ese sentido la palabra o no; en fin, me gusta mucho más. Lo mismo digo con la comunidad ele, ge, be, pe, te, te.

*Son siete letras, bueno, más la Q de queer y la H porque ahora también hay que incluir a los heterosexuales dentro de la diversidad sexual.*

Claro, porque lo que tenemos que hacer es empezar a hablar de la diversidad de las identidades y no de la colección de identidades. Creo que eso es lo que viene, lo que tenemos que hacer. Y la diversidad no somos quienes somos distintos a El Hombre en la punta de la pirámide, lo que tenemos que hacer es romper la pirámide y que todos quepan en la diversidad.

*¿Qué te enamora de una persona? O ¿qué te enamoró de Seligson, de Oceransky, de Isabelle?*

Cada época es distinta. En esa época, evidentemente, estaba buscando maestros (risas). Abraham me decía «¡No, bueno, es que fui secuestrada (lapsus) por mi alumna durante 10 años!». Me lo decía con mucha seriedad.

*¿Se casaron por el rito judío?*

Fíjate que no. Vivimos juntos, nunca nos casamos.

*¿Y por qué no tuvieron hijos?*

Fue una decisión... Yo no sentía que teníamos las circunstancias materiales para criar en abundancia a un hijo, y me negaba a darle a un niño menos de lo que yo había tenido. Yo sí vengo de un ambiente de gran abundancia: de afecto, material, es decir, nunca sentí que me faltara algo, nunca se me ocurrió tener algo que no tenía. Mi padre (el industrial Enrique Berman) tenía toda una teoría sobre la abundancia y nos la hizo vivir. Mi padre decía «Los problemas empiezan cuando no hay abundancia». Cuando yo iba a quejarme porque no me salía algo de la escuela, mi papá me decía «¿pero cuál es tu problema? Tienes muchas horas hasta mañana a las ocho de la mañana». Veía su reloj y me las contaba: «Son como 12 horas que puedes dedicarte a resolver el problema» (risas). Siempre tuve la sensación de abundancia y yo no sentía que estaba en una situación así, y no veía que Abraham se fuera a responsabilizar. Veía clarísimo el asunto de género, y ya cuando tuve la situación de abundancia, biológicamente no me pareció pertinente. Fue una decisión y después un dejar pasar el tiempo.

*Entonces el teatro los unió y el teatro los separó.*

Abraham era mi maestro y era el director de las obras que escribía, y aparentemente no podía bajarse de ese banquito. Entenderás que para alguien que era feminista, fue imposible permanecer toda la vida ahí. Yo he visto en muchas amigas de mi generación cómo han concedido eso y creo que es gravísimo y que les ha hecho mucho daño. Yo no podía conceder eso, y cuando llegué a los 30 año, pensé: «¿Toda mi vida voy a vivir con mi maestro?». Y además lo hablamos clarísimo y él me dijo: «No puedo con la igualdad». Y tan es así que desde que yo me fui Abraham ha tenido varias parejas que siempre tienen 19 años. Él va cambiando de edad y sus parejas siguen volviendo a empezar en los 19 años. Se lo he señalado y dice «¡me encantan las mujeres a los 19 años!».

*¿Y luego quién vino, Isabelle?*

No, luego vino una adolescencia tardía porque muy rápido, a los 18 años, me había ido a vivir con Abraham. Además yo llegué con mi maleta y le dije que me venía a vivir con él, porque mi padre nunca me enseñó el juego del género, que yo tenía que engañarlo para que él me invitara a quedarme a vivir con él, esa parte no me la enseñó mi papá, me dio una falsa seguridad (risas). Y llegué con mi maleta a quedarme a vivir con Abraham. Y Abraham me dijo «ahorita regreso». Y se tardó como 10 horas en regresar. Después me confesó que fue a disolver otras relaciones que tenía y a pensar seriamente si quería vivir con alguien porque llevaba muchos años sin vivir con alguien. Así que después vino una adolescencia tardía, tuve varios años de estar conociendo muchos departamentos (risas), mucha gente muy interesante y aprender mucho.

*¿De ambos sexos?*
Sí, sí.

*Por eso, ¿qué te puede atraer de una persona, sin importar el género?*
Es que implica todo un aprendizaje. Tenía una novia que me encantaba hasta que abría la boca (carcajadas).

*¿Era tonta?*
No, era muy dominante y era neoliberal. Entonces esa dominancia a través de los valores del neoliberalismo me era muuuy dolorosa. Y le decía que íbamos a jugar a que nadie hablaba (carcajadas). Me encantaba ella, me encantaba, pero cuando empezaba a hablar era para mí una debacle. Así empiezas a entender que sí es rara la posibilidad de vivir con alguien amorosamente y es un aprendizaje, y no se da para siempre. La gente sí se separa, la separa la vida y uno tiene que hacer un esfuerzo para que esa separación se

borre y a veces no es posible. Son las sucesivas tragedias del desamor. Y después encontré a Isabelle que es muy distinta: muy muy práctica, muy arriesgada, muy impetuosa, muy conectada con su propio cuerpo, incapaz de mentir.

*Entonces, si tu vida fuera una obra de teatro, ¿de qué género sería?*
Sería comedia. Una vez que entiendes que existen dos géneros principales que es la tragedia y la comedia, tienes opción de elegir en qué género vas a vivir tu vida, y yo he elegido la comedia.

Hacia las cinco de la tarde, después de chuparnos los dedos con el mole de Hortensia, y de una sobremesa en pleno jardín, sabrosa en confidencias impublicables, me despido de Sabina para dejarla iniciar su jornada de escritura. Ya en el autobús con dirección a la Ciudad de México, le mando un WhatsApp para agradecerle que me haya permitido pasar una tarde en el Paraíso. A lo que me responde: «Feliz de que la hayas disfrutado. Como te dije, para entender que la diversidad es lo natural, basta un jardín en Morelos».

## Bertha de la Maza
Mi hija es lesbiana y la amo

«Solamente tenemos un problema en esta familia: algo hicimos mal que nuestros hijos salieron ¡heterosexuales!», afirma riendo Bertha de la Maza. Se refiere a su hija Sofía, de 18 años, y a Héctor, el vástago de 24 de su pareja, Mérida Sotelo Lerma.

Cuando las dos mujeres se conocieron hace una década, vinculadas gracias a los libros de temática LGBT que Bertha comercializaba por internet antes de abrir la librería Voces en Tinta, los chicos ya tenían muy asumido que sus madres eran lesbianas. Aunque en el caso de Bertha sería más adecuado utilizar el término bisexual, ya que amó y estuvo felizmente casada durante una década con Carlos de Gante Hernández, un compañero de la carrera de Ingeniería en Agricultura de la UNAM, quien murió en 2002 a causa de una infección originada por negligencia médica, tras una operación de apéndice en el Seguro Social.

Mérida también había estado casada en Hermosillo, donde actualmente reside y lidera un innovador proyecto sobre celdas solares en el Departamento de Investigación en Materiales de la Universidad de Sonora. Se separó de su esposo, quien arteramente la sacó del clóset frente a amigos y compañeros de trabajo.

Bertha, Mérida y sus hijos vivieron un tiempo juntos, en una casa que alquilaron en Cuernavaca, debido a que la química consiguió un trabajo en el Instituto de Energías Renovables de la UNAM, con sede en Temixco, Morelos. Vivían entre Cuernavaca y la Ciudad de México, donde Sofía se quiso quedar a estudiar la primaria. La niña estaba al cuidado de su abuela materna, Sofía Bertha Alcocer Rojas. Para entonces, la mujer oriunda de Maltrata, Veracruz, ya se había separado del padre de Bertha, Guillermo de la Maza Ambell, un ingeniero mecánico naval originario de Orizaba que había sido uno de los primeros especialistas en turbinas del país. La pareja se conoció en el Puerto de Veracruz, donde su primogénita, Bertha, nació el 20 de agosto de 1964.

La familia De la Maza-Sotelo o Sotelo-De la Maza dejó de vivir bajo el mismo techo hace siete años, cuando Bertha tuvo que regresar a la Ciudad de México porque decidió abrir la librería Voces en Tinta, especializada en diversidad sexual, derechos humanos, género, feminismo y masculinidades. Mérida y Héctor regresaron a Hermosillo. La relación de amor, sin embargo, se ha mantenido a fuerza de viajes periódicos y mensajes de WhatsApp.

En el amplio e iluminado local de la librería ubicada en Niza 23, en la Zona Rosa, es donde tiene lugar esta entrevista, tres semanas antes de que Bertha cumpla 52 años y el negocio celebre, el 27 de agosto, un aniversario más con un nutrido programa de pláticas con autores que han presentado sus obras en la librería (entre ellas *Chulos y coquetones*).

«Lo celebro muy plena, muy contenta, con muchas perspectivas porque estoy cerrando un año donde hubo cosas que me hicieron venirme abajo, pero ahora veo que se me están abriendo oportunidades hacia otros lugares de una forma muy bonita», adelanta Bertha sobre su cumpleaños.

La muerte de su madre, en octubre de 2015, fue una de esas cosas que afectaron a la ingeniera agrícola metida en las parcelas del campo editorial. Con 74 años, doña Sofía Bertha padecía una enfermedad «muy rara», amiloidosis, que impide al organismo desechar por la orina las proteínas que no necesita, acumulándolas como «fibritas» en los riñones.

«Esta enfermedad la fue desgastando, pero cuando se la detectaron hace 10 años los médicos que le daban más tiempo de vida hablaban de un año, otros de sólo seis meses. ¡Vivió nueve años! Nunca necesitó diálisis, era muy fuerte, pero luego las fibritas se le fueron a los intestinos y al corazón; el último año se sentía débil, ya no salía, pero en los años previos hacía muchas cosas, casi vida normal».

Por insistencia de su madre, Bertha y sus hermanos menores —Nancy, Andrés y Guillermo— se hicieron una prueba para determinar si habían heredado este mal. «Afortunadamente» sólo Bertha dio positivo, diagnóstico que ha decidido enfrentar de manera igualmente positiva ya que esta detección temprana facilitará evitar que la enfermedad avance. Incluso la situación tiene una cara venturosa para su relación con Mérida, ya que se mudará, junto con Sofía, a Hermosillo a vivir con ella y Héctor, pues ingresará a un protocolo de investigación en la Secretaría de Salud de Sonora, vinculado con una clínica de Tucson, Arizona, que busca probar en América un procedimiento médico que permitió frenar la amiloidosis en judíos europeos.

«Es una enfermedad de judíos; mi mamá no sabía que tenía ascendentes judíos, pero bueno, estamos todos tan mezclados. Voy con mucho ánimo, estoy segura de que funcionará en mí porque no tengo ningún órgano dañado, lo que es un requisito para entrar a este protocolo, y aparte, estoy físicamente muy bien, incluso de los triglicéridos, el colesterol y todo eso».

Ese buen ánimo no lo empaña aunque la mudanza implique dejar Voces en Tinta, donde siempre ha contado con el apoyo de su hermana Nancy. De hecho, mientras tiene lugar la conversación en una de las mesitas dispuestas para talleres, discusiones, juntas fundacionales de grupos de la diversidad sexual o simplemente para que cualquiera se siente a revisar algún libro, Nancy no dejará de acomodar y reacomodar sigilosamente los volúmenes en los estantes y exhibidores, si no es que está orientando a algún cliente o cobrando en la caja.

«El día 20 lo voy a festejar aquí, con mis amigos, porque es sábado y me toca estar en la librería, pero en lo individual festejo iniciando una nueva vida, iniciando nuevos proyectos y despidiéndome, cerrando el ciclo de Voces en Tinta; eso me duele pero lo he hecho bien, creo que la librería tiene muchísimo para dar, la dejo en unas buenas manos, que le darán continuidad y la mejorarán. Y yo me llevo a Hermosillo la chamba editorial, de publicar libros con nuestro sello, que es muy importante y que creo es a la que menos atención le di durante estos siete años, pero ahora tengo la oportunidad de dedicarme a ella al cien por ciento».

A su hermana Nancy, Bertha le debe su pasión por la lectura y los libros que, confiesa, le han permitido ser intelectualmente otra persona. «Mi forma de pensar ha cambiado muchísimo gracias a las herramientas que me han dado los libros: quizá era una persona muy idealista, vivía en una nube donde todo era bonito, todos éramos amigos, yo era muy optimista». No ha perdido el optimismo, se apresura a aclarar, pero ahora lo sabe canalizar en cosas que pueden transformarse y ya no desperdicia «leña donde no va a cambiar nada».

¿Cómo fue ese «enamoramiento» de la inquieta niña Bertha por los libros? Dejo que la entrevistada lo cuente en primera persona porque de seguir con citas indirectas mi buen amigo Rodolfo Naró, primer lector de estas letras, me aconsejará que le dé la voz a la protagonista:

Como ingeniero mecánico naval, mi papá siempre anduvo en los barcos, trabajaba en la Marina. Pero cuando iba a nacer mi hermano Andrés, mi mamá ya no quería que estuviera tanto tiempo navegando, porque se iba meses hasta Europa y Asia. Entonces le ofrecieron trabajo en una fábrica en la Ciudad de México que, como novedad, iba a instalar unas turbinas, porque él era especialista en turbinas. A mi mamá le pareció bien dejar el Puerto de Veracruz para venirse a la capital, y a mí también me gustó, porque fui muy feliz en el lugar donde llegamos a vivir, entre Pacífico y División del Norte, en unos edificios de la calle Candelaria, donde los vecinos tenían sólo un carro, cuando mucho, así que la mayor parte del patio era para jugar. Además, todos se llevaban bien y la prioridad era el bienestar de los niños. Todos éramos más o menos de la misma edad —seis o siete años— y jugábamos. A mí nunca me gustó jugar con muñecas y cositas así; a mí me gustó mucho el futbol, subirme a los árboles, hacer naves espaciales en los árboles y cosas de ese tipo. A otras niñas también les gustaban esas actividades, muy físicas, que hacíamos junto con los niños. Después mi papá dijo que ya no podía vivir en la ciudad y cada mañana ir a trabajar al Estado de México, donde estaba la fábrica. Así que nos fuimos a vivir a Arboledas, en Valle Dorado. Allá fue otra cosa, fue espantoso, porque no había niños con quién jugar. Era un fraccionamiento con casas, donde las niñas jugaban a las muñecas y los niños al futbol; yo me aburría porque no pude hacer amigos y amigas de la cuadra. Fue muy difícil ese tiempo para mí, porque yo no quería tampoco que me dijeran machorra porque me gustaba la actividad física. Me dediqué a estudiar, a estar con mi mamá y con mi papá que, como buen ingeniero, le encantaba la mecánica y todos los fines de semana le abría el cofre a los carros y empezaba a explicarnos para qué servía cada cosa. A Nancy no le interesaba, pero a mi hermano Andrés y a mí sí, y le ayudábamos a mi papá. Una vez, eché a perder una grabadora por quererla componer, y mi papá me dijo: «No importa, desármala». Empecé a despanzurrarla y él me fue ayudando a ver cómo se podía arreglar. Así me entretenía en mi casa, aunque seguía siendo muy inquieta físicamente, y no recuerdo bien, pero un niño se cayó de un árbol, ah, porque aunque no le gustaba a algunos papás, sí nos dejaron a las niñas y niños construir nuestra casa del árbol, en un pirul. El caso es que un niño se cayó del árbol y me echaron la culpa a mí, cuando yo no la había tenido. Mi mamá me castigó sin dejarme salir unas vacaciones de Semana Santa. Yo tendría como 10 años y me estaba aburriendo horriblemente. Hasta que Nancy, que jugaba con muñecas un poco y también a las coleadas de vez en cuando, pero lo que le apasionaba eran los libros, ya se había leído todos los que había en la casa y le seguían comprando; bueno, hasta que Nancy me dijo: «¿Y por qué no lees?». Y yo: «¡Cómo voy a leer, nada más a ti se te ocurre!». Me dio *Cumbres borrascosas*. Después de que lo leí le pedí algo parecido, y que me da *Humillados y ofendidos* de Dostoievsky. Entonces me enamoré de la lectura. A mí me gustaba la escuela y estudiar, sacaba buenas calificaciones. En la secundaria afortunadamente también tuve una cómplice de desmadres, Mónica, con la que me metí a un equipo de futbol donde había hombres y mujeres. Éramos de salir a jugar en la calle y los parques. A ella se le ocurrió un día una locura: que le pidiéramos una camioneta de reparto a su hermana mayor para manejarla. Porque soñábamos con comprarnos un carro; éramos ilusas y pensábamos que si trabajábamos en las vacaciones juntaríamos el dinero para comprarlo. Mónica le dijo que yo sabía manejar y me quedé asombrada: «¿Yo, manejar?». Las calles de Valle Dorado eran tranquilas, y como las dos veíamos cómo lo hacían nuestros papás, así aprendí a manejar. Me gustó que cuando mis padres se enteraron, no me regañaron sino que me dieron un curso de manejo como regalo anticipado de 15 años. Luego mi madrina, que tenía un Corvette que en ese tiempo era un carrazo, me dijo que de cumpleaños me invitaría a ver a Mocedades, que me gustaba mucho, en el Hotel Fiesta Americana Reforma. Cuando íbamos por el Ángel, se paró y me dijo: «Ya tienes tu permiso, ¿verdad? Pues maneja tú». Fue otro gran regalo.

*Si te puedo preguntar, ¿ya había por ahí novios o novias? ¿Cómo fue el despertar de la adolescencia?*

En realidad a mí no me interesaban ni los jóvenes ni las jovencitas, pero en la secundaria había un muchacho, Roberto creo que se llamaba, que según esto era muy guapo y todas las chavas andaban detrás de él. Y tuve la mala suerte de que se fijara en mí. Había unas hermanas gemelas, y una de ellas era su novia, pero él siempre estaba conmigo. Cuando terminaron, fue que me dijo bien a bien si quería ser su novia. Yo le dije que lo iba a pensar, y en ese pensar, que fue un día, todo mundo se enteró y empezaron con que «¡ay, dile que sí, que está bien guapo!», «¡cómo se te ocurre pensarlo, yo no lo hubiera pensado!». Entonces le dije que sí por toda la presión que había, pero no era un cuate que me gustara; por más que dijeran que era muy guapo no me atraía, aparte se me hacía muy tonto (risas) y nunca me ha gustado la gente tonta. Resulta que cuando se entera la muchacha que había sido su novia que yo ya andaba con él, pues lo clásico: «Te espero a la salida de la escuela». Yo nunca pensé que en verdad me esperaría a la salida de la escuela, pero la muchacha y sus amigas me pusieron una santa *guamiza*. Fue un periodo muy difícil para mí porque yo quería pasar desapercibida, pero con esto se armó un desgarriate porque mi mamá fue a reclamar, y todos se fijaron en mí. Así que ya no quise salir con él, y todos me dijeron: «No te dejes intimidar», por lo que tuve que aceptarlo nuevamente, pero el primer beso fue el último. «¿Sabes qué? Hasta aquí», lo corté.

*¿No te gustó cómo besaba?*

No, y me di cuenta de que no tenía nada en común con él.

*¿No fue porque no te gustaran los hombres?*

No, simplemente fue eso. Después conocí a un chavo, Antonio, al que le decíamos Tony, que no tenía las mejores calificaciones pero era un líder nato, volteaba la escuela como le daba la gana y de él sí me enamoré en tercero de secundaria. Me gustó mucho andar con él porque me agradaba bastante y nos divertíamos muchísimo dentro del grupo al que pertenecíamos, que era muy grande. Nos daban chance de estar hasta deshoras de la noche jugando en la calle, y tal vez lo que me llamó la atención de estar con él, fue que éramos muchos y era divertido todo lo que hacíamos, fuera de estereotipos, porque podíamos irnos a acampar, y si quería lavar los trastes los lavaba, si no, no. Con Tony sí duré un buen rato, y en ese grupo de amigos y amigas me enamore de una mujer; bueno, ahora reconozco que me enamoré de ella y fue la primera. En ese entonces no sabía qué era lo que sentía, sólo que me encantaba estar con ella, la quería hasta besar, pero ¡cómo! Teníamos 15 años, ella se llamaba Sandra y siento que también tenía algo conmigo. No pasó a más, después ella se cambió de casa.

*¿Te gustaba estar con ella, pero con la palomilla incluida?*

Sí, me encantaba, y a ella también le gustaba estar conmigo. Hacíamos que las cosas se dieran para estar juntas y solas. Nos escribíamos cartitas, y «que te amo» y cosas así. Ella me regaló un bote para los lápices, que aún tengo a estas alturas, que hizo con esas frases de los muñequitos que decían «Amor es tal cosa», «Amor es que me escuches»,

«Amor es tomarte de la mano». Entonces creo que sí había algo, pero hasta mucho después lo hice consciente.

*¿Sí te gustaba que Tony te besara?*
Sí, con Tony sí disfruté el noviazgo.

*¿Y sólo eran besos o qué me importa?*
No, también unas cachondeadas, como decíamos en ese entonces. Y sí lo disfrutaba.

*¿Cómo fue tu primer amor lésbico?*
Ya fue en la universidad con una compañera de la carrera, pero no te puedo decir su nombre porque ella tiene su vida heterosexual. Fue una relación muy de estira y afloja, muy padre porque compartíamos muchas cosas, pero muy difícil porque ella es muy católica, su familia es muy católica, y siempre estaba pensado que lo que hacíamos era malo, malo, malo. Vivía con culpa y yo, tratando de quitarle esa culpa. A mí tener relaciones con mujeres nunca me causó culpa; me sacaba de onda, pero eso era otra cosa.

*¿Y cómo fue el enamoramiento?*
Fue durante un paro de la carrera, una huelga de la UNAM. El Rancho Almaraz o Campo Cuatro, que es donde se estudia Agricultura, está muy lejos, a unos kilómetros de Tepotzotlán, en la salida hacia Querétaro. Yo me había ido a vivir por allá con un grupo de amigas con las que rentamos un espacio. Esta chava y yo éramos de generaciones diferentes, un día nos tocó una guardia juntas y empezamos a platicar y a platicar y a platicar. Salimos de la guardia y seguimos platicando y después nos fuimos a mi casa

y seguíamos platicando. Fueron como tres semanas que no nos separamos más que para ir al baño. Así fue que nos dimos cuenta que teníamos muchas cosas en común, que era agradable lo que sentíamos la una por la otra, que incluso había una atracción física.

*¿Lo hablaron?*
Yo sí lo hablé; ella casi no porque también le parecía como pecado hablarlo. Sólo me contestaba: «Sí, yo también». Un día llegamos muy tarde a casa de mi mamá porque habíamos ido a Ciudad Universitaria a dejar unos papeles por lo del paro. Estábamos muy cansadas, nos bañamos y nos acostamos: ella en la cama de Nancy, que no sé dónde estaba, y yo en mi cama. Empezamos a platicar y le pregunté si podía pasarme a su cama, y me dijo que sí. Yo estaba muy temerosa pero no tenía otra intención. Cuando me pasé a su cama, ella fue la que me abrazó y me empezó a besar. Así fue la primera vez, fue una relación muy tierna. Hasta la fecha somos muy buenas amigas, seguimos teniendo mucho en común y seguimos disfrutando platicar, estar juntas, hacer planes. Su esposo, Pancho, es muy buena onda y sabe que anduvimos juntas; también Carlos, el padre de mi hija, sabía que yo andaba con ella antes de ser su novia. Salíamos los cuatro, no había problema porque ya no teníamos una relación y lo habíamos sabido platicar con nuestros maridos. Siempre me dijo que para ella lo más chingón en la vida era tener hijos. No pudo tener hijos biológicos, pero adoptó dos que ya están en la universidad.

Bertha tampoco quiere que publique el nombre de otra mujer, que hasta la fecha es su mejor amiga, con la que tuvo una relación «súper pasional», porque ella está en su cuarto matrimonio. «Según que es heterosexual». Lo que sí me cuenta sin tapujos es que esa relación ardiente se dio mientras estuvo casada con Carlos de Gante. «Carlos y yo éramos una pareja abierta, nos lo contábamos todo, aunque en realidad no tuvimos muchas parejas fuera de nosotros, sí llegamos a tenerlas. En el caso de ella, Carlos sintió que no podía y me pidió que no le contara nada, como sí le podía contar de otras personas. Ella sí nos movió como pareja y yo me di cuenta de que Carlos estaba sufriendo, entonces preferí terminar la relación porque no quería perder a Carlos. Pero duramos como dos años, era una pasión que me desbordaba, con la que no podía hacer nada».

La mirada de Bertha se torna amorosa al recordar a su compañero de vida, quien murió cuando Sofía tenía cuatro años. Uno que otro suspiro de melancolía surge entre frase y frase cuando cuenta qué la enamoró de él: «No era machista, era un hombre muy solidario con hombres y con mujeres; con las mujeres era muy caballeroso y algunas lo veían como un confidente. Creo que tenía una sensibilidad femenina que le permitía relacionarse con sus amigas y con mis amigas también, incluso ser su cómplice. Era fuera de serie como amigo y compañero de vida».

Igualmente, el relato de su historia con Mérida está cargado de amor y admiración, sin duda porque la vida con ella es «muy fácil», como lo fue con Carlos (o lo sigue siendo a juzgar por el tiempo presente que Bertha utiliza): «Es tan fácil llegar a acuerdos y tomar decisiones con ella; aparte, Carlos y Mérida son personas honestas que te dicen las cosas tal y como son, y con las que tú puedes abrirte y decirles lo que sea porque no te van a juzgar, al contrario, te van a apoyar. Son personas en las que puedes confiar, en las que yo pondría mi vida».

He aquí cómo fue que Bertha puso su vida en manos de Mérida, cinco años mayor (nació el 9 de marzo de 1959):

Todo empezó porque yo vendía libros de temática LGBT en una página de internet, *Leslibros*, antes de abrir *Voces en Tinta*, y la persona que más me compraba era Mérida, desde Sonora. No nos conocíamos y después de año y medio, un día de 2006 me dijo que vendría a la Ciudad de México a un congreso, que si podía aprovechar para ver los libros. Aunque en internet estaba el catálogo y las sinopsis, yo recibía en mi casa a las personas que estaban en el DF y me compraban regularmente, y les invitaba un café. O se las encargaba a mi mamá, que vivía a una cuadra, si yo andaba viajando por mi trabajo en las escuelas rurales. Porque mi mamá siempre fue muy abierta... Bueno, no siempre, pero eso te lo cuento más adelante. El caso es que le dije que fuera a la casa y con mucho gusto le invitaba un café. Cuando estuvo en el DF, Mérida me dijo que le había interesado todo el programa del congreso y que no tendría tiempo de ir a mi casa, que mejor le mandara al hotel tres libros que le interesaban. «Cómo crees que te los voy a mandar, yo voy a dejártelos a tu hotel», le dije. Así nos conocimos.

*¿Y fue amor a primera vista?*

Mérida dice que fue amor a primera vista en su caso; en el mío no, porque hacía poco menos de un año que había tenido una relación muy difícil con una mujer, la única relación violenta que he tenido en mi vida, y me estaba costando trabajo relacionarme con alguien más. Habíamos empezado a salir ella y yo cuando murió Carlos, como que fue mi sostén e incluso me ayudó a armar la página web para vender los libros en internet. No había una relación, yo no me sentía del todo a gusto y se lo decía, pero ella me contestaba: «Espera, yo te voy a enamorar». Me daba pena cortarla porque ella había hecho mucho por mí, pero teníamos unos pleitos muy fuertes, y un día mi mamá me dijo: «Esta relación no creo que se la merezca ninguna de las dos». Y fue cuando me cayó el veinte y le dije «hasta aquí». Fue dificilísimo porque ella era en verdad violenta y me hizo una de cosas, al grado de que yo podía haber muerto porque alteró mi carro para que tuviera un accidente. A ella tampoco le pongas el nombre porque es capaz de mandarme matar; de veras es una persona enferma. Mérida me cayó muy bien, nos fuimos a tomar un café al Centro, y nos la pasamos bien ese domingo. Luego le dije: «Oye: yo tengo que presentar un libro el miércoles, te invito». Pasé por ella a su hotel, presenté el libro y luego estábamos botadas de la risa porque el libro era gay y Mérida no manejaba muchos términos y me los preguntaba; lo disfrutamos bastante. Tuve que presentar otro libro el viernes previo a que ella se regresara a Hermosillo. La invité también y nos vimos desde la comida, en la que me platicó de su hijo Héctor y de cómo su exesposo la sacó del clóset en toda Sonora y toda la universidad; yo estaba aterrorizada de lo que le había pasado, pero me aseguró que ya estaba saliendo adelante. Yo le conté de mi trabajo, siempre me ha gustado mi trabajo y puedo hablar horas de lo que hago. Cuando murió Carlos dejé las cajas de ahorro y préstamo a nivel rural (tema sobre el que se había especializado en Canadá) porque tenía que viajar mucho, y después de dos años acepté un trabajo con escuelas rurales, en el que tenía que viajar pero me garantizaron que los fines de semana estaría en mi casa. Juntábamos a maestros, padres de familia y directivos para que ellos hicieran un plan estratégico con miras a mejorar su escuela. Mérida me platicaba de su proyecto de investigación con celdas solares, que para mí eran unas perfectas desconocidas, pero como ella trae en los genes el ser maestra, lo más complejo te lo puede explicar de la forma más sencilla. Después presenté el libro y luego la llevé a su hotel. Cuando iba para mi casa, me mandó un mensaje por teléfono:

MÉRIDA: ¿No quieres quedarte conmigo?
BERTA: ¿Estás segura de lo que me estás pidiendo?
MÉRIDA: No, no estoy segura.
BERTA: Entonces, mejor no.

Al otro día se regresó a Sonora, y después me empezó a mandar mensajes que yo le contestaba, pero estaba empezando un proyecto de las escuelas rurales en Puebla, después de haber estado dos años en Quintana Roo y en Chiapas. He trabajado en todos los estados de la República y en ninguno me ha ido tan mal como en Puebla, hago chiras pelas con los poblanos, no los entiendo, no me entienden tampoco y sobre todo no entiendo el nivel de corrupción que hay allá, no puedes hacer absolutamente nada, ni lo más sencillo, sin que te pidan dinero.

*¿Entonces estabas muy complicada y no querías involucrarte demasiado con los mensajes de Mérida?*
Sí, hasta que ella debió haber sentido que yo estaba frustrada y empezó a llegarme por la cuestión del trabajo,

y entonces le presté atención. De pronto se volvió para mí como una terapia. En una ocasión, yo creo que ya teníamos una conexión porque me dijo «¿Te puedo llamar?». No nos habíamos comunicado ese día, pero ella dice que sintió que yo estaba mal. Estuve a punto de decirle que no porque estaba en verdad mal, pero le dije que sí. Empezamos a hablar y sentí que había algo más. En eso se venía el 10 de diciembre, que es el cumpleaños de Carlos, que siempre festejábamos a lo grande, y yo procuro estar ese día con gente porque todavía me puede la fecha. Entonces me dijo Mérida: «¿Por qué no te vienes para acá?». Acepté y ahí fue cuando empezamos a conocernos realmente, pero no empezó la relación, eso fue hasta febrero.

*¿Los hijos entendieron bien su relación? Tenían como 8 y 13 años.*
Mérida vivió con una pareja mujer antes, así que cuando yo conocí a Héctor entendía bien que su mamá era lesbiana. A Sofía nunca se lo tuve que decir, a ella se le hizo normal. Cuando ya era mayor, le pregunté si tenía problemas con que yo tuviera una pareja mujer. «Pues no, nunca te he visto con un hombre», me respondió. Sofía no se acuerda de su papá porque estaba muy chiquita cuando murió. Aunque tenemos una relación muy buena con la familia de Carlos, que es entrañable como él, y pasamos con ellos los fines de año.

*Me dijiste que tu mamá no siempre fue muy abierta con tu lesbianismo.*
Cuando se separaron mis papás, mi mamá había regresado al Puerto de Veracruz. Al nacer Sofía, se vino de nuevo a la Ciudad de México dizque para ayudarme a cuidarla, pero después se encariñó con ella y nunca la quiso dejar, hasta su

muerte. Cuando Carlos murió, mi mamá estuvo conmigo apoyándome, y luego yo empecé una relación con una mujer. Un fin de semana le pedí que cuidara a Sofi; entonces me preguntó si era lesbiana y andaba con esta muchacha. «Pues, sí ando con ella», le respondí. «¡Pero cómo! ¿Cómo te atreviste a tener una hija siendo así? ¡Imagínate que le digan a tu hija que su mamá es lesbiana!». Bueno, me dijo un montón de cosas horribles, eso me sacó mucho de onda y me separé de ella. Después de unos cuatro meses fui a su casa porque le había pedido a mi hermano Guillermo que cuidara a Sofía. Yo iba a ir a la marcha del orgullo homosexual, que abrirían los padres de hijos LGBT. Mi mamá me había dicho que tenía que salir y que no podía cuidar a la niña, por eso se lo pedí a Guillermo. Cuando llegué con mis amigas y amigos para ver a las personas que abrirían la marcha, ahí estaba mi mamá con una camiseta que decía: «Tengo una hija lesbiana y la amo». Me había dicho que ese día me daría una sorpresa, pero nunca me imaginé eso. Todos los meses en los que casi no nos hablamos, mi mamá buscó ayuda, leyó y estuvo asistiendo al grupo de padres de hijos LGBT. A partir de ahí fue una activista, fue de las primeras madres que dio la cara en los medios de comunicación y la entrevistaban a cada rato.

# Héctor Orlando Aguirre
## El chico de El clóset

### EL GANCHO DE ROPA

En el antebrazo derecho, Héctor Orlando Aguirre se tatuó un gancho de ropa. El sencillo trazo en negro, sobre una sombra de color turquesa, lo ejecutó su hermano mayor, Adrián, que es tatuador. «Quería algo emblemático del clóset, ¿y qué mejor que un gancho?», me explica el muchacho de 24 años con relación al logotipo que distingue su página de Facebook: *El clóset es para la ropa, no para las personas*, que tiene más de 650 mil seguidores.

A diferencia del logotipo, que él mismo diseñó después de meterse a «muchos muchos» tutoriales en internet como buen chico *millennial*, su tatuaje no lleva colgando del gancho los circulitos dobles entrelazados con una cruz y una flecha, de mujer-mujer y hombre-hombre, que simbolizan a la comunidad LGBT. De las 11 figuras que Adrián le ha grabado en el blanco lienzo de su piel, este tatuaje es el más visible; también es uno de los tres que le son más significativos y nos ayudarán a contar la historia de este regiomontano, emprendedor como sólo ellos saben serlo, que nació el 20 de julio de 1992.

«Decidí tatuarme el gancho hace seis meses (en enero de 2016) cuando me di cuenta que me iba a dedicar cien por ciento a *El clóset*, que ya iba a ser una página web más formal, que tendría una asociación civil (legalmente constituida a principios de julio de 2016 como El clóset LGBT), y que se convertiría en mi pan de cada día porque me gusta mucho mucho hacerla».

Como los proyectos que resultan exitosos, la página surgió de una necesidad personalísima de su fundador para tener una válvula de escape, expresarse y asirse de «algo» que lo alentara a salir una segunda vez de su propio clóset, ya que, por presión familiar, se había tenido que meter de nuevo en sus opresivas sombras cuando estaba en la universidad.

La fuente de inspiración para este proyecto en redes sociales (cl Twitter es @elclosetlgbt) fue la página *Have a Gay Day*. «En ese entonces, Facebook era el auge, pero no había una página con la que me pudiera identificar o que me diera un mensaje positivo; todo lo que encontraba en relación al término LGBT era sexo, que no tenía nada de malo, pero dejaba de lado otros aspectos que eran los que yo realmente necesitaba. Hasta que por el *post* de una amiga llegué a esta página en inglés, que hoy tiene tipo un millón de *likes*, pero en ese entonces tenía unos 200 mil. Los mensajes eran muy sencillos y muy bonitos: No encontrabas nada de estereotipos, nada que te hiciera sentir menos, te apoyaban a salir del clóset, te planteaban que todo tiene solución; eran mensajes realmente propositivos».

Después de navegar fascinado por la página, Héctor pensó que era una pena que la gente que no sabía inglés se perdiera de un contenido tan alentador, y se dijo: «Yo quisiera tener una página así en español». Y la creó con la facilidad que brindan las herramientas virtuales, a tal grado que «realmente ni siquiera recuerdo cómo pasó, en qué momento precisamente, pero fue entre agosto y noviembre de 2012».

«Realmente» es una palabra que usa casi en cada frase este «súper súper fan de Pokémon», una muletilla que me resulta curiosa en un chico que vive entre la realidad objetiva y la virtual. En la sede de El clóset, ubicada en un local rentado de la calle Matamoros del Centro de Monterrey, desnudo de la calidez y personalidad que sí reviste a su página de Facebook, Héctor ha citado a un colaborador eventual para que grabe en video nuestra conversación. Entiendo que no es por desconfianza, sino como parte de ese espíritu de la época para aprovechar la charla como un contenido de sus redes sociales (pactamos que no subirá el video hasta que se publique la entrevista). Y de pronto me pregunto si pedir que lo graben charlando sobre su vida y trabajo será también un gesto egolátrico de este joven encantador en sus lentes de pasta negra, que en el imperio del *like* recaba en los post de su página hasta 10 mil o más pulgares paraditos y corazones arrobados (no de @, sino en el sentido antiguo de la palabra).

*Con 24 años eres el presidente de una asociación civil y tu página es un éxito de seguidores, ¿qué haces para no marearte como gay star y mantener los pies en la Tierra?*

Yo sólo soy las manos que están detrás de esto, pero la gente no sigue a Héctor, y no me interesa que siga a Héctor, me interesa que sigan a El clóset y que les sirva y difundan lo que conlleva. Por eso nunca creo llegar al punto de creerme una celebridad porque no es la intención. Hasta hace poquito, cuando hicimos lo de la asociación, fue la primera vez que subí una foto mía. Después de tres años y medio de tener la página, por primera vez publiqué una foto donde salía yo con el equipo, vestidos de noche, por así decirlo. Aunque era nada más de nosotros, tuvo muchos *likes* esa foto porque la gente dijo: «¡Wow, después de tanto tiempo veo quiénes están detrás, qué padre!».

*Me gusta mucho el nombre de tu página porque uno de los primeros activistas, Xabier Lizarraga, dice justamente que el clóset es muy útil para la ropa, no para las personas, y también sostiene algo muy fuerte: que seguir en el clóset es avalar la homofobia.*

Claro, sí, sí. Porque salir del clóset no se trata de decirle a todo el mundo «Soy gay», sino vivir como eres, sin miedo al qué dirán. Y si te preguntan: «¿Tienes novia?», uno debe responder: «No, tengo novio». Cuando muchos dicen: «Yo estoy dentro del clóset y estoy muy bien», yo les digo que para nada, nadie se siente bien dentro del clóset. Si te dieran la opción de decirlo al mundo sin que nadie te juzgara, claro que lo harías.

*Como dice uno de sus post citando a la comediante Ellen DeGeneres: «Ya no habría que decir qué eres, sino que simplemente amas a una persona y ya».*

Claro, realmente esa es la esencia de salir del clóset, el simplemente no tener que explicar nada, sólo ser tú sin ocultarte.

*Entonces creaste esta* fan page.

Sí, y estuve dos años realmente haciéndola yo por las madrugadas, casi todas las cosas que se subían las hacía entre las 12 de la noche y las tres o cuatro de la mañana. Y ya llegué a tenerle un cariño enorme, enorme a la página. Empezó siendo prácticamente un *hobbie*, porque ponía mensajitos, fotillos, algo súper, súper básico.

*También cosas que encontrabas en la red, ¿no?*

Sí, cosas que veía que podían ser parte de esto las compartía con algún toque diferente. Así se fue creando la página. Cuando tuvo un año o un poco más, subí un video que había visto en Tumblr en inglés que se llama *Love is all you need*. Es un cortometraje de una niña heterosexual que vive en un mundo donde lo común es ser gay. Ella tiene dos mamás pero todos sus amiguitos son gays y lesbianas, así que ella se siente muy extraña por ser heterosexual. Te cambia todo el enfoque, la perspectiva de lo que se vive por el poder. Ese video lo subtitulé, lo puse en la página y tuvo un alcance impresionante. Para entonces *El clóset* ya tenía 30 mil *likes*, que para nosotros era ¡wow!, y gracias a ese video que llegó a tener cuatro millones de vistas, de una semana a la otra alcanzamos como 100 mil *likes*. A partir de ahí, la página empezó a tomar un poco más de forma y a irle bien, por lo que me puse a buscar gente que me pudiera ayudar a editar, a programar y todo.

*¿Buscaste entre tus amigos?*

No, todo fue por medio de una convocatoria virtual en la página. Llegó gente que ni siquiera es de Monterrey, sólo uno de los chavos de ahorita es de aquí. De hecho, han pasado muchas personas por administradores, por la cuestión de la disponibilidad de tiempo, de manejo de la ortografía, de que agarren la onda de la línea de la página; ha sido un poco difícil encontrar a esas personas.

*Pero sin duda todos son jóvenes, ¿verdad?*
Sí, todos entre 25 y a lo mucho 27 años, que me han apoyado a partir de unos dos años y medio para acá en la cuestión de edición, de descargar videos y subtitularlos, de crear *gifts*, y cositas así para dar un mensaje un poco más formal.

*Acabas de crear una asociación civil, y veo en el pizarrón a tu espalda que hay cifras, cálculos, ¿ya están buscando financiarse, que El clóset de alguna forma les permita tener un ingreso?*
Sí. Por mucho tiempo, muchas personas me dijeron «¿Por qué no monetizas?», «¿Por qué no haces algo para vender la página?». Y yo les decía, «pues, no es mi intención, realmente. Estoy bien así, no tengo mucho dinero, la verdad, pero con lo que tengo estoy bien. Mi idea principal no es esa».

*¿Lo hacías por una especie de activismo?*
Sí. Realmente nunca recibí un peso por la página, y sí llegaron a ofrecer pagarme por hacer publicidad en la página. Pero me negaba diciendo que al igual te puedo apoyar publicando cierto tema. Lo hacía sólo con un filtro así. Y desde hace más de un año y medio, sin que yo publicara algo diciendo que mandaran *inbox* si necesitaban ayuda, solos, solos empezaron a llegar, a brotar y multiplicarse mensajes del tipo: «Oye, necesito decirle a mi papá que soy gay, ¿cómo le hago?», «mis papás se enteraron, o en mi trabajo supieron y

no sé cómo hacerle». Al principio los contestaba yo desde mi perspectiva y experiencia porque pensé que así podía apoyar mucho, pero una vez entró un mensaje que me causó un gran impacto, era de un niño de 16 o 17 años que decía: «La verdad, ya no puedo y me quiero matar». Eso fue muy muy fuerte para mí. Dije: «A lo mejor no lo va hacer, pero nunca se sabe, y el hecho de que salga de sus dedos esa frase, aunque nada más sea para asustar o llamar la atención, indica que está realmente mal y no lo puedo tomar a la ligera y contestarlo yo solo porque es mucha responsabilidad». Entonces me hice un poco para atrás y pensé que tenía que hacer algo porque como ese chavo había muchos. Además, empezaron a llegar mensajes de mamás o papás preocupados por sus hijos. Y también de hijos agradeciendo porque le pusieron un video de la página a su mamá y los entendió, o la mamá que escribía: «Vi tu publicación, mi hijo es gay y me hiciste cambiar mucho mi perspectiva». Eso era de una riqueza enorme y me significaba un pago que nadie me podía dar. En verdad, será muy cursi, pero eso me llenaba mucho.

*No me parece cursi.*

Bueno, para mí era muy gratificante. Y pensé: «No se puede quedar en una página de Facebook, que un día me vayan a cerrar; no, no quisiera que esto se acabara, quiero que trascienda bien». Empecé buscando a un grupito de psicólogos que me pudieran apoyar en el área de *inbox*. Por amigos contacté a un chico que se llama Sergio Macías, que actualmente es parte de la AC (asociación civil). Su forma de pensar me gustó y creí que podía servir mucho. Antes de él, una chica de Cadereyta, estudiante de psicología, me había mandado un *inbox* porque estaba muy interesada en participar. Nos tomamos un café, hubo una conexión muy alta y se quedó. Por este mismo medio contacté a otros chicos que no son de aquí sino de la Ciudad de México, Perú, Argentina y, sobre todo, una chica de Ecuador que es la que más fuerte nos está apoyando en dar la orientación psicológica por *inbox*.

*¿Y cómo te lanzaste a formar la asociación?*

Por limitantes como esa de que por *inbox* sólo se puede dar orientación psicológica, no servicios de psicología propiamente. Y amigos y amigas activistas me empezaron a decir que debería hacer una AC. Entonces dije: «Realmente sí me veo dedicado a esto, es algo que me podría enriquecer en el aspecto ético, emocional, de trascender y dejar un mensaje». Por Javier Muñoz, un productor y maestro de la UANL, conocí a Magdalena Moreno, una socióloga con experiencia en asociaciones civiles, que me dijo: «Héctor, en verdad tienes todo para hacer una AC, a tu edad no hay nada que perder, ya tienes mucha gente que sigue a *El clóset*, así que aprovecha la demanda, sólo pon la oferta». Me aseguró que el trámite era fácil, nada en comparación al trabajo que es desarrollarla y mantenerla. Fue durante una plática de café en enero (de 2016). Así me decidí y empecé a invitar a gente, nada más de Monterrey, para facilitar el trabajo: una amiga comunicóloga, Cecilia Tamez; a mi cuñada Karla Martínez, que también es comunicóloga y heterosexual, y trae súper bien puesto el mensaje del respeto, de la igualdad.

*¿También hay lesbianas en tu equipo?*

Sí, la abogada María Romero, que conocía de la prepa y me gustaba su forma de pensar. También jalé a mi mejor amigo, Mishael Córdova, que es un heterosexual con el discurso del respeto a la comunidad LGBT; es compañero de Economía en la universidad y pensé que podría ayudarme en la logística de la administración. Me tardé como dos meses preguntando quién se quería involucrar, y el 26 de mayo (de 2016) ya firmamos el acta constitutiva.

*¿Cómo van a trabajar, cómo beneficiará la AC a El clóset?*
Una vez que se formó la asociación, el productor Javier Muñoz me contactó con un colega suyo que es representante de Cinema Uno, una plataforma de Netflix de cine independiente que trae el tema inclusivo, no sólo de la comunidad LGBT sino de las minorías, de los sectores vulnerables. Con ellos nos estamos asociando para poder formalizar algo sustentable. También estamos en la creación de la página web para tener recursos y ayudar a la asociación. En la AC vamos a trabajar más que nada el área psicológica y jurídica. Ya hay muchas asociaciones para la post salida del clóset, en cuestión de derechos como el matrimonio igualitario, que está padrísimo, pero ¿qué pasa con los jóvenes de 12, 13 años e incluso veintitantos que no se aceptan, que a veces no saben qué son y carecen de información para entenderlo? A ese sector nos vamos a enfocar.

*¿También apoyarán a los padres de hijos LGBT para aceptarlos?*
Claro. Queremos apoyar toda la cuestión del bienestar personal, que desde dentro la persona esté bien cimentada en el aspecto familiar y de valores, para que después pueda enfrentarse al mundo y ser como es.

*Una de las publicaciones de El clóset decía «Qué tristeza vivir en un mundo tan retrógrado y de doble moral». ¿Cómo ve un*

*joven como tú este mundo que le heredamos los padres y abue-*
*los gays?*

Cuando me empecé a involucrar más en el lado activista de la comunidad, me topé con que muchas personas eran
mayores, sin embargo, la presencia de la comunidad no es
tanto de las personas mayores. Claro que les debemos mucho, a esas personas les tocó otro tipo de lucha, una lucha
más fuerte, incluso física, de la que nos ha tocado a nosotros, afortunadamente. Una lucha con un discurso un tanto
de odio, y no los juzgo en absoluto, pero como que atacaban
con frases como «es que me tienes que aceptar así y así».
Exigían de una manera defensiva, que está bien, pero creo
que hay otras vertientes que podemos probar, para llegar
por el lado emocional, de «acéptame porque es lo correcto,
porque no tiene nada de malo ser gay y esto no me hace diferente a ti».

*¿De una forma más amable, bondadosa?*

Sí, puede ser. Así lo veo yo, es lo que hasta el momento
he tratado de hacer y creo que sí ha funcionado, al menos
en mi casa.

*¿Más de empatía que de confrontación?*

Ándale. De hecho, el principal valor de la página es la
empatía, creo que es la base para dejar de discriminar. Sólo
poniéndote en los zapatos de alguien más puedes verlo desde otra perspectiva y entender qué es lo que esta persona
está sufriendo con esos mensajes discriminadores que pueden llegar a ser muy hirientes. Si se los volteas, se dan cuenta de que pueden calarles muy fuerte a ellos.

*¿Y cómo es tu clóset, el de la ropa?*
Es grande, está ordenado pero con un toque tirado de vez en cuando (risas).


LOS PAJARITOS

En el pecho izquierdo, Héctor Orlando Aguirre se tatuó unos pajaritos. Sobre un fondo con los colores de la diversidad LGBT, las aves están en pleno vuelo; son seis. No es gratuito que estén justo encima del corazón: «El tatuaje de los pajaritos representa a mi familia nuclear: mis hermanos (Abiel y Adrián, el tatuador), mi papá, abuelos y tía». ¿Y la mamá?

La familia de Héctor no embona en el modelo «natural» y excluyente que el Frente Nacional por la Familia promovió con varias marchas para oponerse a las iniciativas de enmienda constitucional enviadas por el presidente Enrique Peña Nieto al Congreso el 17 de mayo de 2016, para garantizar el matrimonio igualitario y la adopción homoparental en todo el país. La polémica que se creó con la contraofensiva LGBT, por supuesto que no fue ajena a *El clóset*, que publicó mensajes con su estilo sencillo y cargado de sano humor. Miles de *likes* y cientos de veces compartidos fueron los «del tipo»: «¿No te gusta el matrimonio gay? ¡Oh, vaya! La buena noticia es que no tienes que tener uno».

¿Y la mamá de Héctor?, insisto. Pues no es una sino dos, para seguir rompiendo estereotipos. Y también sus papás son dos. Héctor lo cuenta así con su timbre dulce y ese acento típicamente regiomontano:

Desde pequeño viví en Apodaca, un barrio más o menos humilde, con mi mamá y mi papá biológicos y mis dos hermanos mayores. Cuando tenía 4 o 5 años, mis papás se divorciaron, yo me quedé con mi mamá junto con mi hermano mayor, y al año ella se fue a Estados Unidos, donde hasta la fecha vive. Entonces nosotros nos fuimos a vivir con mi mamá, con mi abuela paterna, Ofelia, a quien le digo mamá porque para mí lo es. Mi mamá biológica se llama Elizabeth Morales Mata. Mi papá es Guillermo, perdón, mi abuelo, y también su hijo, mi papá biológico, se llama Guillermo. A mis abuelos son a los que yo conozco más como papás. Para no confundirte puedes decir «tu mamá Ofelia» o «tu mamá-abuela», como quieras. Creo que el problema con mis padres fue que se casaron muy jóvenes. A mí, su tercer hijo, me tuvieron a los 22 años. Ya habían tenido dos hijos, así que eso fue lo que les ocasionó un poco más de inconvenientes económicos y cositas así. No me quejo, mi mamá siempre me trató súper bien, pero decidió separarse e irse, que fue lo mejor.

Cuando me pasé con mi mamá-abuela fue un cambio muy drástico porque de un día para otro cambié de colonia, de escuela, de amigos, absolutamente de todo. No tengo mucha memoria consciente de lo que pasó por mi mente en esos momentos. Mi mamá (abuela) dice que al menos mi hermano mayor y yo fuimos los que más le sufrimos, que durante un año le estuvimos preguntando por mi mamá porque no sabíamos realmente dónde estaba y si iba a regresar o no. Fue una lucha constante por afrontar la realidad, pero pasado el tiempo ya sientas cabeza, entiendes que ese va a ser tu hogar. No me quejo en lo absoluto porque mi mamá Ofelia ha sido para mí un gran ejemplo de valores, creo que de no ser por ella no sería lo que soy. Mi formación me la ha dado ella principalmente, y también ha influido mucho en mi educación mi tía Amalia, hermana de mi papá, que es doctora y por la que entré a Medicina en un principio.

*¿Por qué se fue a Estados Unidos tu mamá Elizabeth?*
Ella mencionó que fue para brindarnos un mejor estilo de vida económico, porque estábamos batallando en ese momento y ella decidió irse para tener una mejor oportunidad de trabajo. Simplemente se fue y perdimos contacto por muchos años. De hecho, la última vez que la vi fue hace ocho años, más o menos, y antes de eso, cuando tenía siete años. Claro que ella habrá tenido un motivo muy personal y no la juzgo en absoluto. Ahora mantenemos una relación muy estable, en lo que cabe, por Facebook.

*¿Se volvió a casar?*
Tiene una pareja, pero hasta donde sabemos no tuvo más hijos. Mi papá se juntó con una mujer, no está casado, pero vive con ella y tuvieron una niña; yo tengo una hermanita de siete años pero no convivo tanto con ella.

*¿Tu papá siempre estuvo con ustedes?*
Dejó de ser una figura paterna, porque lo había sido desde que yo tenía memoria. Pero cuando pasó esto, a mi papá le pegó mucho, como que se quebró en el lado emocional y simplemente se rompió una estructura familiar en cuanto a que él dejó de ser papá y se convirtió en un amigo, en un hermano mayor. Para nada necesitaba pedirle permiso; su opinión me importaba mas no me basaba en ella para hacer las cosas como sí lo hacía con mis papás, mis abuelos, que eran realmente la autoridad y me educaron.

*¿Cómo fue esa educación que te dieron tus padres-abuelos?*

Muchos podrían creer que por el hecho de ser mis abuelos fue muy estricta, pero para nada. Al contrario, fueron muy *pasalones* con nosotros porque una cosa son los abuelos con los hijos y otra con los nietos, aunque mi mamá Ofelia dice, tal cual, que somos sus otros tres hijos, pero sin perder esa línea de que seguimos siendo sus nietos. A pesar de las diferencias de edades, con ellos podíamos tocar sin problema cualquier tema tanto de vida sexual, no sé, como situaciones que pudieran parecer incómodas. Sobre todo con mi mamá, le tenía demasiada confianza, cualquier cosa que pasaba se la podía contar, pero de pronto se viene la pubertad que es un momento inconveniente para cualquier adolescente...

*¿Cómo viviste esa pubertad con los abuelos?*

Fue muy extraño porque coincidió con el momento en que me di cuenta, o quizá siempre lo supe, pero fue cuando salí del clóset conmigo mismo, como a los 11 o 12 años, cuando ya realmente supe que no era como los demás niños a los que les gustaban las niñas.

*¿Qué detonó esa salida del clóset contigo mismo?*

Yo creo que lo detonó mi ambiente, el ver a mis compañeros, a mis amigos en el colegio Gabilondo Soler —sí, soy como hijo de Cri Cri—, ver que todos traían la hormona alborotada y andaban que con la novia, con el novio, y a mí las niñas no me llamaban la atención. Sin embargo, sí había algún chavo que se me hacía guapo, y estaba muy confundido en ese aspecto. Afortunadamente nunca, nunca en la escuela alguien me llegó a decir un comentario homofóbico, no sufrí de homofobia, al contrario, mis amigos, incluso los compañeros con los que no me hablaba, siempre me trataron bien.

*¿Tampoco le hiciste* bullying *a otro chico quizá más afeminado?*
Sí, lo llegué a ver y es algo que me pesó mucho después porque no hice nada al respecto, por el miedo, por resguardarme a mí mismo porque podrían decirme: «Ay, si lo estás defendiendo, entonces ¿qué onda contigo?». Pero nunca fui *bulleador.* El hecho es que cuando me di cuenta de que era gay, la primera persona a la que le dije fue una amiga, Dalia, en sexto de primaria, porque tenía un hermano gay, cuatro años mayor que ella, y siempre decía «todos lo sabemos y no pasa nada». Me ayudó mucho ver a una persona de mi edad con tanta aceptación, sin estereotipos y hasta me llegó a gustar esa niña, no tanto ella sino su forma de pensar. Yo quería que alguien me tratara como Dalia a su hermano, tener esa comprensión. Se lo dije finalmente por sms , aunque estábamos hablando por teléfono. Pero yo estaba súper nervioso, le dije que tenía que contarle algo pero que no podía hablar, que mejor le mandaría un mensaje de texto. Y Dalia: «Sí, dime lo que tú quieras». Me tardé horas hasta que le pude escribir «Soy gay», así nada más. Ella ni siquiera hizo una expresión de sorpresa, al contrario, me escribió un *speach* que me hizo llorar porque me dijo: «Héctor, para mí eso no cambia nada, tú eres mi mejor amigo, una persona súper especial, te quiero tal como eres, cualquier cosa que necesites aquí voy a estar, no dejes que nadie te haga sentir menos». Claro que ahora digo: «Ay, son cosas de niños cursis». Pero me llegó mucho porque era una chava de 12 años y creo que todos deberíamos de pensar así. A partir

de ahí, le dije a mi circulito de amigos, que la mayoría eran niñas. Todas me aceptaron, nunca nadie me hizo una cara o me dejó de hablar. Y fue igual con los otros niños que medio *bulleaban* a algunos chavos, pero a mí nunca me molestaron. Yo estaba en una zona de confort.

*¿Y tu primer novio?*

Lo tuve a inicios de la prepa. Se llamaba David. Empezamos en el transcurso de secundaria a prepa. Él es un año y medio mayor que yo. Era una relación muy bonita, de niños, realmente, porque no pasaba de manita sudada y un beso o algo así, no era la gran cosa. Yo tenía mucha curiosidad y no me importaba el qué dirán, podía andar con él de la mano por la calle y también darle muestras de afecto. Tuve otro novio, unos tres meses después, y luego no tuve ninguno. Pasé a la Facultad de Medicina, donde estuve un año y medio antes de cambiarme a Economía. Fue en parte porque a mi tía Amalia, que es doctora, yo la admiro y la quiero mucho. Se me hace que tiene una personalidad muy fuerte que siempre me ha inspirado y yo quería ser como ella. Por eso fue, en parte, que yo decidí esa carrera. Y al momento de entrar ahí, muchas cosas cambiaron, en lugar de salir del closet, me empecé a meter un poco en él porque ya no era tan fácil para mí agarrar la mano o dar muestras de afecto en público.

*¿Pero por qué?*

Porque en ese momento se dieron cuenta mis papás que yo era gay; bueno, mi mamá-abuela, pues para entonces mi papá-abuelo ya había fallecido. Salí del clóset, bueno, me sacaron del clóset por una carta que vieron, una carta que me había escrito mi novio, Felipe, de dos meses de relación, donde me decía cositas. Yo la dejé en una libreta de Medicina en la sala, y como a las 12 de la noche que ya estaba en mi cuarto me acordé porque la quería guardar. Iba a bajar por ella pero, ya en la escalera, me paré en seco y dije: «Que la vean». Sin realmente pensar en la importancia de lo que eso significaba porque no creí que la fueran a ver. Entonces me regresé a mi cuarto y me dormí como si nada. En la mañana mi papá, mi papá biológico, entró y en vez de levantarme como siempre, porque como tenemos una relación de amigos, juguetona, siempre me levanta aventándose sobre mí o cosas así, pero esa vez fue nada más de «¡Ey, levántate! Mamá quiere hablar contigo». Me pareció muy extraño y me puse a pensar en todas las cosas malas que podía haber hecho y no había hecho nada como para sentirme así de nervioso. Al entrar a la sala, mi mamá sacó la carta de su bolsa y empezó a llorar. ¡No manches! Había planeado que, si en un momento se llegaban a enterar, yo les iba a decir que ser así no es malo, que no pasa nada, pero en ese momento me congelé. Mi mamá me empezó a decir que en qué falló, que fue culpa de mi papá, que fue culpa de mi mamá que se fue. Y yo: «No, en verdad no es eso, no es culpa de nadie, así soy, siempre he sido así y no es nada malo». Pero ella me dijo: «No, tú no eres así, es una moda». Lo decía no con enojo, sino como decepción, con un llanto de preocupación, que me pudo mucho. Yo nunca había llorado en público y esa vez lo hice enfrente de ella, y no podía parar, quería hablar y no me salían las palabras. Mi papá nada más estaba sentado viéndome como un poco decepcionado también, pero no abría la boca. Entonces mi mamá me dijo: «Quiero que vayas al psiquiatra o al psicólogo para que te atiendan y te orienten».

Yo le dije: «Sí, eso nos va a ayudar a todos». Y a la semana siguiente estaba con una psiquiatra...

*¿Psiquiatra, te querían medicar?*
No sé si me querían medicar o algo, pero era psiquiatra y me dijo que mi mamá, porque había hablado con ella, estaba muy preocupada por mí, porque su hermano menor, al que le llevaba unos 10 años, había fallecido de sida cuando recién salió la enfermedad en los 80. Aparentemente él era homosexual, no sé. Mi mamá estaba muy preocupada por ignorancia, por pensar que si yo era gay iba a tener eso o estaría más propenso a contagiarme. Entonces la psiquiatra me explicó: «Es que para tu abuela tú eres todo en el mundo, no te tomes tal cual lo que te dice, simplemente está muy preocupada por ti debido a lo que le sucedió a su hermano». Ella había estado siempre con mi tío y fue una muerte súper súper triste que sufrió mucho por cómo terminó él, solo, prácticamente. Por eso nunca la juzgué ni me enojé con ella: «Está bien, entiendo tu preocupación pero también ayúdame a que entiendas que no tiene que pasarme eso a mí». Ya con el tiempo, ella me dijo: «Bueno, mientras nada más sea entre nosotros no hay problema, yo no te voy a correr ni mucho menos, al contrario, ésta es tu casa, pero que no lo sepa nadie más». ¿Y yo qué podía hacer?

*Lo tuviste que aceptar.*
Sí. Me costó mucho, fue cuando regresé al closet. Yo estaba muy acostumbrado a mi ámbito social porque mis amigos y conocidos sabían que era gay. Nunca me oculté por nada, simplemente así me presentaba. Pero después de lo de mi mamá fue muy diferente. Me cambié a la Facultad

de Economía y llegué con mucho nervio, además porque era una facultad medio conservadora. Tenía 19 años y fue muy difícil adaptarme porque estaba un poco lesionado de mi salida del closet y me volví a meter en él. Para salir de nuevo fue muy muy complicado. Con los amigos que hice me tardé un poco pero les dije, y con la demás gente para mí era muy fuerte, no podía ni siquiera alzar la voz, por ejemplo, en un debate donde una compañera dijo una barbaridad: «Si aceptan el matrimonio entre personas del mismo sexo ya van a empezar a casarse con animales y cosas así». Yo no podía rebatirla porque pensaba: «Si digo algo van a creer que soy gay». Me costó, pero ahorita, huuuy, ya estoy fuera totalmente.

*¿Cómo te fue aceptando tu mamá Ofelia? ¿Se dio cuenta de que eso no te iba a afectar, de que podías ser feliz?*

Sí, creo que su problema era pensar que no fuera feliz. Batallé mucho para que lograra siquiera tocar el tema. Duró un año en el que nuestra relación se fracturó, ya no podíamos hablar tal cual lo hacíamos antes, cuando regresaba a la casa en la noche y platicábamos de muchas cosas mientras le sobaba los pies. Ya ni siquiera me pedía que le sobara los pies. Si hablábamos, era para mí muy incómodo porque sabía que no me estaba aceptando, y eso me causaba muchos problemas porque ni siquiera podía mencionar la palabra gay, para nada, ni mencionar a Felipe, el de la carta que seguía siendo mi novio. Si decía su nombre, mi mamá me volteaba la cara o simplemente no me hablaba. Me costó mucho. Pero después de un año exactamente... Había pasado una Navidad en la que no estuve con Felipe. En su casa, su familia se duerme ese día como a las 11, y en mi casa le seguimos hasta las 4 de la mañana. Entonces me pudo mucho que mis hermanos estaban con sus parejas y yo no. Y pensé, «Felipe está solo en su casa y podría estar aquí sin ningún problema, yo no me siento bien así, no debe estar pasando esto, no es justo». Cuando se acercaba otra vez la fecha, le dije a mi mamá: «Quiero traer a Felipe a la cena de Navidad». Y ella me respondió, sin voltearme a ver: «Te digo en una semana». Pasaron los días y no me dijo nada. El día exactamente de Navidad le volví a preguntar y me dijo: «Sí, está bien, tráelo, nada más que no se quede a dormir». «Bueno, me puedo acoplar a esa regla», pensé. Felipe estaba súper nervioso porque después de un año iba a volver a entrar a la casa, pero todos lo recibieron súper bien, porque antes les había caído muy bien. Su regreso fue como la introducción, otra vez, de mí en mi casa, de mi orientación, de todo lo que conllevaba, no sólo de mi relación sino de todo lo que soy.

### EL TRÉBOL

En la cintura de lado derecho, Héctor Orlando Aguirre se tatuó un trébol de cuatro hojas. Es una figura pequeña, que la mano fraterna trazó en negro junto a un lunar pequeñísimo, con las hojas rellenadas de verde suave. «Es mi primer tatuaje y me lo hice por Felipe, precisamente, porque siempre los hemos amado, su color es mi favorito y uno de los primeros regalitos que me dio fue un trébol; es algo cursi pero así fue».

En la entrevista se me pasó preguntar por este noviazgo, que ya va para siete años y se ha mantenido a pesar de esa segunda entrada al clóset y de que actualmente Felipe estudia en Querétaro un posgrado en ortodoncia. Pero Héctor, como buen chico *millennial*, no tuvo problema en contármela por WhatsApp:

«Nos conocimos, sólo de vista, en el último año de prepa. Fue hasta que él entró a Odontología y yo a Medicina que nos hablamos. Yo iba caminando, solo, por un pasillo que conecta a las dos facultades y él venía del lado contrario junto a una amiga. Al toparnos, y sin haber cruzado palabra antes, me llamó por mi nombre, me preguntó por el paradero de una amiga en común y yo le dije que estaba en la cafetería, que justo iba a donde ella estaba. En el camino, cruzamos pocas palabras y al llegar a la cafetería nos separamos. Pasaron algunas horas y cuando nuestra amiga en común ya se iba, nos invitó a los dos a cenar a su casa junto con otros amigos. Ahí platicamos un poco más, Felipe se interesó en mí, me agregó al *messenger* y por ahí seguimos platicando toda la noche y el día siguiente. Nos vimos al tercer día con un plan tipo cita, pero en el área médica de la universidad. Salimos todos los días de esa semana y supimos todo sobre nosotros. En un lapso de ocho días empezamos a andar. Fue súper precipitado, pero me gustaba todo de Felipe: su sentido del humor, su inteligencia, su empatía, su forma de ver el mundo, cómo me trataba, pero, sobre todo, cómo me hacía sentir (carita enseñando los dientes).

ANTONIO: ¿Cómo te hacía sentir?
HÉCTOR: Feliz, sin preocupaciones. Cada vez que me pasaba algo bueno o malo se lo quería contar, ya fuera para reír o sentir su apoyo. Me entiende en cada uno de mis pensamientos y siempre nos procuramos, cada uno ve

por el interés del otro y jamás nos hemos faltado al respeto (monito tapándose la boca).

ANTONIO: ¿Y ya te arregló alguna caries?

HÉCTOR: Jajaja, sí. Fui su primer paciente para una limpieza.

ANTONIO: ¿Con Felipe también fue tu primera relación sexual? (carita que aprieta los ojos carcajeándose).

HÉCTOR: Jajajajaja. Tal cual, sí. Ahora nos acordamos con gracia porque la primera vez fue algo torpe en diferentes sentidos, pero después agarramos práctica y ha sido fenomenal (carita enseñando los dientes).

ANTONIO: ¿Tienes pensado hacerte otro tatuaje? Sip, uno de Pokemón, jajaja (monito tapándose los ojos). Rosa para transgredir el género, ntc. Pero con Pikachu y Jigglypuf. Todavía no sé dónde, pero seguro me lo hará mi hermano.

## Jaime Cobián
Historiar la jotería

Yo nací el 27 de junio de 1964; en unos días voy a cumplir 52 años. Curiosamente, nací en un templo donde mi mamá era sirvienta, el templo de San Antonio de Padua, casi en el centro de Guadalajara. A mi mamá la atendieron en su cuarto, ahí fue el parto. Yo creía que había nacido en el lugar más maravilloso del mundo. Después, con el paso del tiempo, te vas enterando de lo que representa en realidad la vida de alguien, porque al ser el hijo de una madre soltera, yo era tratado, como se decía en ese tiempo, como bastardo.

Mi madre se llamaba Aurora Cobián Zamora, yo tengo sus dos apellidos. Era una señora semiindígena, que había venido de un rancho, Coatlancillo de Tonaya, Jalisco, de donde la corrieron a los 15 años porque salió embarazada de mi hermana Sara, que es tres años mayor que yo. Así que en ese tiempo era vista como una prostituta; decían que era una mujer fácil porque ya tenía dos hijos ilegítimos. Y además trabajaba de sirvienta en un templo, y el sacerdote era muy desgraciado con ella porque no le permitía que sus hijos estuvieran dentro de la casa. Entonces nosotros prácticamente vivíamos en el parque que estaba enfrente del templo; ahí nos la pasábamos todo el día y mi mamá por una ventana nos daba de comer. Ya en la noche, el cura nos permitía meternos a dormir con ella.

Mi mamá tuvo otro hijo, pero por la mala alimentación se volvió loquita, perdió la razón. Pienso que anduvo por las calles, la llevaron al Hospital Civil y ahí nació el niño, pero se lo quitaron. Después una enfermera le dijo que una trabajadora social lo vendió. Como nosotros vivíamos en el parque, anduvimos vagando algún tiempo hasta que nos llevaron a vivir al Hospicio Cabañas. Yo tendría unos cinco años y mi hermana ocho. Ya que recuperó la razón, mi mamá nos buscó y le dijeron que estábamos en el hospicio. Ahí le dieron trabajo y vivimos en el hospicio hasta que yo cumplí 11 años, porque a esa edad los niños se tenían que pasar a otro internado; las niñas no, ellas podían estar más tiempo. Entonces mi mamá decidió salirse y comenzar a vivir su vida por ella misma y formar un hogar y todo esto.

En el asunto de la sexualidad, desde los tres o cuatro años me llamaban mucho la atención los hombres. Con otros chiquillos, jugábamos a toquetearnos. En el hospicio había muchos chiquillos como yo. Sin embargo, algo que ahora analizo es que yo no me consideraba tan afeminado como otros niños, que eran realmente muy amanerados y recibían un trato diferente: los encerraban en un cuarto, los castigaban severamente, los golpeaban si los veían jugando como jotitos, pues, y los ponían a rezar. No atendían precisamente monjas, sino civiles del Opus Dei, gente rica de Guadalajara, y la directora era prima del presidente José López Portillo: María Asunción García Sancho Pacheco y López Portillo.

Yo me consideraba diferente a esos niños y entendía que lo que hacía sexualmente con los otros chiquillos era algo normal. Los que estaban mal eran los afeminados. Mi mamá se enteraba con mucha frecuencia de que los niños me agarraban las nalgas, o que yo me besaba con alguno de ellos y cosas de ese tipo. Claro, me regañaba, me pegaba y yo con sentimiento de culpa le decía: «Pues, no supe qué hacer».

En la primaria, y no se diga en la secundaria, yo ya sabía que los chavos más agresivos, quienes me estuvieran dando lata como a los afeminados —que joto, que puto...— era porque tenían la necesidad de que pasara algo con ellos, les gustaba que los tentara sexualmente y con eso ya reaccionaban de manera diferente conmigo. Sodomizarlos, literalmente, era un mecanismo de defensa.

En la escuela siempre me tocó liderar cosas. En la primaria era yo muy bueno para las cuentas, así que la directora me encargaba la venta de las golosinas. Y en la secundaria me tocó ingresar ya al tema político a través de la federación de estudiantes. Como los compañeros de primaria sabían que yo era bueno para las cuentas me encargaban las cosas que tuvieran que ver con las ventas. Iba en la Secundaria 7, que se llamaba Polanco y estaba aquí cerquita. Estaba muy alejada del centro y era de gobierno, como para malandrines porque yo entré a los 12 años y tenía compañeros de 20.

Probablemente ahí se empezó a gestar el activista gay porque yo me juntaba con tres o cuatro amiguitos, aunque no entendía entonces lo que era ser gay; entendía lo que era ser joto o puto, que era aquel que se sentía mujer, que se vestía como mujer y que actuaba como mujer. Por lo tanto, las relaciones sexuales que mantenía con otros hombres no tenían nada que ver con eso porque yo no me sentía mujer y no quería ser mujer ni mucho menos. Así que yo en mi asunto y a gusto. Tampoco defendía a los afeminados porque quienes los molestaban tenían 18, 19 años y, siendo yo chico, no me iba a poner con uno de ellos.

Los grandecillos llevaban revistas pornográficas que nos enseñaban a los menores, y como yo tenía kilómetros recorridos ya sabía por dónde iba la onda. Así empecé a descubrir cosas como el «zombi gay», que vienen en mi libro (*Los jotos*, con cientos de efemérides de la vida homosexual mexicana desde el siglo xvi hasta 2013, y un amplio apéndice de motes para los lilos o floripondios). Te invitaban a hacer la tarea a su casa y luego decían: «Yo me voy a dormir un ratito». Entonces los toqueteabas, luego se despertaban y seguíamos haciendo la tarea como si no hubiera pasado nada. Y al día siguiente otra vez: «¿Qué onda, vienes a la casa a hacer la tarea?». ¡Ah, pues cómo no, con mucho gusto!

Como a los 14 años me invitaron a trabajar. Estuve en dos asuntos que tenían que ver con el activismo político o social. Vinieron de México unas personas del Partido Comunista para formar un grupo de medios de transporte, como colectivos que cobraban por metros recorridos. Pero la iglesia no los dejaba trabajar porque en ese tiempo los dueños de casi todos los transportes eran el cardenal José Garibi Rivera y don Heliodoro Hernández Loza, que era el líder de la CTM (Confederación de Trabajadores de México) en Jalisco y tenía varias licencias de camiones, taxis y gasolineras. Y se los madreaban a cada rato porque estos señores no querían que les quitaran el negocio. No sé por qué me atraía, pero yo iba a apoyar a los que querían poner estas peseras. También estaba en una caja popular y a los 14 años me pusieron de presidente de la Comisión de Vigilancia. Así pude vengarme de muchos que estaban en la iglesia —porque las cajas populares nacieron en las iglesias—, que abusaban haciéndose préstamos personales. Yo era intransigente con eso y los denunciaba, hasta el grado de hacerles un juicio entre todos y correrlos.

Desde pequeño me llamó la atención el tener que exigir algo. Era muy rebelde porque no aceptaba que alguien me dijera qué tenía que hacer o qué no debía hacer. «¿Por qué?», preguntaba. Y también exigía explicaciones cuando veía que a alguien menor que yo lo regañaban por algo que no debía hacer. Creo que así nació en mí esa necesidad de transgredir los dogmas y prejuicios sociales. En el hospicio nos levantábamos muy temprano para ir a misa, siempre con ese sentido de culpa: «Es que tú eres pecador porque Adán y Eva...». A ver, a ver, ¿yo por qué, pues? No entendía muchas cosas, pero sí veía la sexualidad como algo normal porque, a mí no me tocó, pero los curas que iban ahí del templo de San Juan de Dios se llevaban a otros compañeritos a su casa y los toqueteaban. Eso que ahora se entiende como abuso sexual de menores era como normal ahí. Me lo contó un chavo con el que yo tenía mis quereres: «Ay, el pinche cura me llevó a su casa y en la noche me estuvo toqueteando».

Cuando entré a la prepa, un compañero me dijo: «Vámonos metiendo a un partido político que se llama el PRT (Partido Revolucionario de los Trabajadores)». Yo no sabía ni lo que eran los partidos políticos, pero se había ido gestando en mí un espíritu de no dejarme, creo que por esa inquietud mía de exigir, de haberme sentido amedrentado socialmente por no ser igual a los demás dadas mis circunstancias de vida: ser jodido, hijo de una sirvienta, hijo bastardo, y encima tener gustos sexuales diferentes. Así que me hice rebelde: ¿Por qué cabrones tengo que hacer lo que tú quieras? ¿O por qué me tienes que hacer sentir mal?

Jaime Cobián parece un *lord* inglés. Llega a recogerme a mi hotel del centro tapatío cuando cae la manecilla a la hora acordada. Usa el bigote cano atusado, como uno de esos caballeros atildados que a mediados del siglo xix llamaban pisaverde o lagartijos. Pero su trato no es arrogante sino franco, proclive a la ironía con el lenguaje más llano. Se le da fácil la confidencia y contará, casi sin preguntarle, desde el primer «como novio», Eduardo, un compañero de la prepa a quien se «echaba» en el coche antes de las clases, hasta el habérsela pasado «a gusto» con una noviecita —hija del director de Banobras a quien le urgía casarla— ¡y con su hermano también! Lo cual le creó una confusión que despejó buscando un libro de sexología en una librería de viejo, el cual leyó a escondidas para ver dónde «encajaba».

No podría faltar el primer amor: Rafael Rodríguez Valladolid, «un muchacho muy afeminado —así es como me gustan— que a mí me pareció hermosísimo y del que me enamoré de inmediato cuando fue a pedir trabajo en una tienda departamental donde yo trabajaba». Él lo acercó al movimiento gay tapatío en 1982, al presentarle a los precursores Pedro Preciado y Jesús Jáuregui.

El relato personal arranca mientras vamos en el Acura color vino rumbo a su domicilio en la colonia Balcones del Cuatro, lejos del centro de la ciudad. Como esos maestros diestros en hacer que los alumnos se enamoren de su materia, el historiador y activista tapatío intercala sabrosas anécdotas como esa de que Carlos Monsiváis estaba «enamorado» de quien fue su pareja durante 14 años, Rodrigo Rincón Jiménez.

«Monsiváis lo buscaba y lo buscaba y cuando venía a Guadalajara lo veía a diario. Le valía gorro que fuera mi novio, y a mí me valía también porque yo lo tomaba como una oportunidad para platicar con esa jota. Por cierto, Monsiváis se encabronaba porque yo decía joto. "¡No se dice joto!", me regañaba. Insistía en que esa palabra no debería usarse ya porque hay un mote más digno, con menos carga negativa, que es gay. Y yo le contestaba: "Pues, mira, gay a lo mejor tú, pero a mí joto me han dicho toda la vida y ya hasta me acostumbré. Creo que como me digan me están discriminando y para mí son jotos". Y él se enojaba mucho».

Cuando finalmente nos instalamos en la intimidad de su casa, en el tercer piso de un edificio de tres niveles de su propiedad, donde también está la oficina de la asociación civil que fundó, Codise (Cohesión de Diversidades e Identidades para la Sustentabilidad del Estado), asociación civil enfocada en cuestiones legales contra la discriminación, y cuyas accesorias renta, mi anfitrión retomará la anécdota de su novio y el célebre cronista a quien siempre pedía indicios y referencias sobre la historia de los jotos mexicanos. A esa apasionada curiosidad, Jaime ha dedicado dos décadas y no pocos recursos, pues en mercadillos y tiendas de antigüedades ha comprado diccionarios, libros, revistas, periódicos y documentos de los siglos XVIII, XIX y XX para rastrear noticias y alusiones sobre los adamados, bragueteros, cho-tos, desviados, enfermos, floripondios, gomosos, huitalolos, invertidos, joringos, leandros o locas, mariposones, ninfos, obvias, papagayos, quebraditos, raritos, soplanucas, traga-sables, urracas, volteados, We Whas o zombigays.

«Yo conocía a Monsiváis desde que estudiaba historia en la Facultad (de la Universidad de Guadalajara) porque él venía y le organizaban fiestas en corto con muchachitos, con cha-cales para ver quién lo atendía, y yo aprovechaba para platicar con él y preguntarle qué se había escrito sobre los jotos, por-que ni modo que nos hubieran traído los ovnis en los años 70, cuando empezamos a aparecer y éramos unos cuantos en la Ciudad de México y algunos más en Guadalajara haciéndola de pedo. Él me decía que no había información, que si estaba prohibido hablar de temas sexuales, mucho más de la homo-sexualidad. Y eso me inquietaba. Que estaba Salvador Novo, pero en general no se escribía del tema porque los autores no querían que su obra fuera disminuida por ser ellos conside-rados maricones. Justamente por eso Monsiváis no manejaba públicamente que era gay, no quería que por ese motivo fue-ran a menospreciar su obra, que era tan valiosa para él, como si todo mundo no supiera que era jota».

Es mediodía y suena la campana de una iglesia, se oye tan fuerte como si estuviéramos platicando en la casa parroquial de esa infancia marcada por la discriminación. Llama la aten-ción que al llegar al piso que habita Jaime, recibe al visitan-te una especie de altar, revestido con una casulla encarnada sobre la cual hay muchas esculturas, estampas y pinturas, desde Jesús Malverde hasta Buda, el Sagrado Corazón, la Virgen de Guadalupe y un musculoso muñeco de acción con máscara de luchador y los atributos del mártir San Sebastián.

Nos sentamos en una pequeña mesa, una antigüedad entre las muchas que decoran el lugar, que hace las veces de comedor, al centro de la cual luce una caja de metal finamente trabajado, rematada por dos perros.

En la salita contigua que tiene una chimenea esquinera, la pieza más significativa es un portarretratos dorado donde está Rodrigo, ese guapo muchacho que fascinaba a Monsiváis. Él y Jaime han sido «amantes, novios, maridos, cómplices, aliados políticos, enemigos políticos, de todo». Hoy son amigos y están unidos por Jaime Isaac, el hijo de 10 años de Jaime que aparece en esa foto enmarcada junto a Rodrigo, a quien también llama papá.

El niño es en realidad sobrino del historiador, hijo de su hermana Sara, quien se embarazó cuando tenía 48 años. «Era un embarazo de alto riesgo, mi hermana es madre soltera y entonces nos encargó al niño por si algo le pasaba. Todo salió bien, pero yo soy su tutor. Nunca hubiera pensado tener un hijo, ni por error, por la responsabilidad que conlleva. Por eso cuando nos quieren negar la adopción, yo digo que los gays somos quienes más la meditamos por la responsabilidad que implica, y como muchos vivimos en familias donde hubo discriminación, somos más conscientes de cómo se debe de amar un hijo que los padres que los traen nada más por traerlos al mundo».

Desde el comedor también se ve la compacta cocina, sin divisiones, en una de cuyas planchas hay tres montones de revistas y libros de los que salen papelitos que señalan la página donde hay alguna noticia sobre los afeminados o tortilleras del pasado. «Son como 900 referencias que tengo que agregar al libro», aclara Jaime y luego abre uno de los ocho belices viejos apilados cerca de la mesa, en los que también guarda papeles amarillentos cuidadosamente conservados en bolsas de plástico.

Algunos tramos del gran ventanal que inunda la estancia de luz, están ocupados por libreros llenos de ediciones del Diccionario de la Real Academia Española, periódicos encuadernados como *El Museo Mexicano o miscelánea de amenidades curiosas e instructivas*, en cuya edición de 1844 aparece la primera ilustración de quienes podrían considerarse los bisabuelos de los gays, dos jóvenes muy refinados a los que se llamaba «leones» porque «no son como los pintan». Jaime localiza y muestra un libro de pasta roja con dorado: *Ensalada de pollos. Novela de estos tiempos que corren*, por Facundo (José T. de Cuéllar), salida de la imprenta de Ignacio Cumplido en 1871. Se trata de la primera novela mexicana donde se hace referencia a los afeminados.

*¿De esas charlas con Monsiváis es que nació tu interés por buscar datos de la historia jota?*

Sí. Y también porque pensaba que había que legitimar, no sólo salir y exigir respeto, sino amarrar desde la historia que los homosexuales hemos estado presentes y construido este país, hemos participado en su lucha social, política, económica y a la hora de los derechos no nos los han dado. Yo me dedicaba a la política, fui asesor de Cuauhtémoc Cárdenas, de Patricia Mercado (y militó en su partido, México Posible), de López Obrador, y cuando me tocaba ir a los estados buscaba en librerías de usado, en tianguis y hacía anotaciones. Eso que dicen «ojo de loca no se equivoca», yo lo aplicaba a la historia. Leía un artículo y encontraba un parrafito que, intuía, tenía que ver con lo gay. Pero no lo entendía del todo porque no manejaba el lenguaje de esa época. Entonces me puse a recopilar los motes con los que nos han llamado para poder captar el significado.

*¿Cuál fue el primer dato que te llevó a decir aquí hay una perla que hay que meter después en un libro?*
Fue cuando me encontré un periódico de 1833 —ese no lo tengo aquí—, que se llama *El Mono* y donde viene por primera vez referida la palabra joto. «¡Ah, entonces no es por los presos homosexuales de la crujía J de la cárcel de Lecumberri!», me dije.

*¿Dónde encontraste* El Mono?
En la Hemeroteca Nacional, por pura casualidad. Todo lo he encontrado por... no por casualidad sino por causalidad. Fue un día que no encontraba ni madres y vi que tenían una miscelánea donde estaba *El Mono*. Y dije, pues vamos viendo, y me puse a leer el número que me prestaron, que era de 1833. Entendí, primero, que el director usaba «mono» para referirse a la gente. Y encontré una nota que decía que había recibido a un amigo español con el que había salido para mostrarle la ciudad. Estaban en el centro y les dio hambre, así que se metieron a una fonda cubana en la que había unos «monazos cubanos», decía, «feos y enjutos», entre los que se encontraba uno muy afeminado, de los que «aquí en México el vulgo les dice jotos». Así fue como me apasionó el asunto y empecé a hacer notas en cuadernos. Luego, una vez que andaba en Puebla vi pintado en una barda «Fulano de Tal es puto, maricón, traga sables, muerde almohadas...», como 20 motes, y dije: la llave hacia la historia de la diversidad son los motes. Así que empecé a estudiar el tema desde la lingüística. Entendí que en América somos muy

dados a los motes, y que pueden variar según las circunstancias y la época, como la palabra puto que hoy usamos hasta para saludar, pero que durante 300 años fue para insultar a la gente afeminada. Entonces empecé a buscar diccionarios.

*Estamos rodeados de ellos.*

Sí, tengo diccionarios de mil setecientos y tantos, de mil ochocientos y tantos. Empecé a ver que los diccionarios mexicanos no tenían datos sobre los motes de los gays, como que aquí eran muy mochos para meter esas palabras, pero los españoles sí las tenían. Si leía «barbilindo», por ejemplo, iba al diccionario de la época del documento donde lo había encontrado y veía qué significaba. Igual con «adamadillo», «mujercito», no sé, «adamado». Así empezó a tener sentido todo lo que había anotado.

*De esos motes, ¿cuál te gusta más?*

Me llama mucho la atención el de «barbilindo», porque hoy casualmente podría asociarse con las Barbies, se podría referir a un jotito como la Barbie. Y en 1860 se usaba para referirse a un hombre pequeño, delgado, de facciones muy finas y muy afeminado. ¡O sea que no hay ninguna diferencia!

*¿Tú eres floripondio, muerde almohadas, traga sables, lilo o qué mote prefieres?*

A mí me gusta joto, porque lo entienden en cualquier parte del país. A donde quiera que vayas, le preguntas a un niño qué es joto e inmediatamente te va a contestar que es alguien afeminado. Antes de que un chiquillo así sepa para qué sirven sus órganos genitales, sabe qué es joto. El libro se llama *Los jotos* porque yo quería que la gente viera que somos más de lo que piensan que somos y que hemos estado presentes a lo largo de la historia de este país y lo hemos construido. En la portada aparece (debajo de dos musculosos hombres entrelazados) el águila mexicana con esos laureles que les ponían a los que regresaban victoriosos de la guerra, como en las ilustraciones de Iturbide o de Porfirio Díaz, pero también le pusimos unas florecitas para hacerla más mona. ¡Cuántos jotos han estado en la vida de este país, han ofrendado su vida por el fortalecimiento de este país, y nunca fueron laureados!

*Precisamente la mayoría de las entradas del libro son sobre el dolor, el oprobio, y sólo hacia el final, cuando se refieren a los derechos logrados gracias al trabajo de muchos activistas como tú, hay un poco de gozo. Tú estuviste en Los Pinos el 17 de mayo de 2016 (día Mundial de la Lucha contra la Homofobia), y fuiste testigo de las iniciativas de Peña Nieto para que se reconociera constitucionalmente el matrimonio igualitario y la adopción por parejas del mismo sexo. ¿Cómo ves este cambio, y la reacción de las iglesias?*

Me sorprendió mucho porque nunca había pensado que eso podría ocurrir. Propusimos el matrimonio igualitario desde el Partido Social Demócrata y lo exigimos mucho, pero cuando se aprobó (por la Asamblea Legislativa de la Ciudad de México el 21 de diciembre de 2009) no sabíamos qué significaba casarse. Y entonces la lucha empezó otra vez porque tuvimos que llevar a parejas de otras partes del país al Distrito Federal para que ejercieran ese derecho, y si la Suprema Corte fallaba a favor de la impugnación que había metido la Procuraduría General de la República

(PGR) contra el matrimonio igualitario, a su vez nosotros la impugnáramos en los estados. Yo también me casé con Rodrigo en la segunda boda colectiva en el DF, el 21 de marzo de 2010, natalicio de Benito Juárez (se divorciaron dos años después). Así que estábamos aún en el proceso de lograr el matrimonio en algunos estados con amparos, cuando el presidente de la República nos llama a los jotitos y las lesbianas a Los Pinos porque va a hacer un pronunciamiento en el marco del día contra la homofobia. Dices: «¡Órale, esto es increíble!» Porque ni siquiera en los estados, como aquí en Jalisco, donde los grupos políticos de la diversidad sexual hemos logrado alianzas con los gobernadores como el actual (el priista Aristóteles Sandoval), nunca hemos hablado del tema de derechos para los homosexuales, menos ibas a pensar que un presidente de México, donde no hemos tenido mucho acceso, iba a hablar del asunto. ¡Y luego cómo se dieron las cosas! Yo pensaba que nos iban a sentar entre mucha gente y el Presidente estaría por allá diciendo su discurso. Pero al llegar había una mesa para dialogar con el Presidente, aunque por protocolo de la Presidencia lo que se diría ya estuviera escrito y los oradores designados (los activistas Alejandro Brito, Gloria Careaga, Jaime Morales, Luis Perelman y Ari Vera). El presidente no sólo escuchó sus discursos, que llevaban las voces y la lucha de muchos, sino que luego nos sorprendió con dos iniciativas de ley que implicaban cambios constitucionales. ¡Fuimos de asombro en asombro! Ni en 30 años hubiera pensado que ocurriera esto. A lo mejor en el 2050, y que yo lo atestiguara como un viejito de 100 años. Lo lamentable es que no exista una sociedad consciente, porque está en construcción. Fuimos una comunidad gay, que nos conocíamos y nos hablábamos, hace muchos años. Éramos 20, 30, 100 gays que luchábamos por algo, pero ahora hay miles que salen y con las nuevas generaciones más bien están en construcción las comunidades de la diversidad sexual, no una sola comunidad. Y muchas veces no entienden que hubo un tiempo en que carecíamos de la posibilidad de salir, hablar, discutir, porque a ellos, muchas cosas les llegaron así nomás de repente. Entonces todavía ni siquiera nosotros nos habíamos puesto de acuerdo sobre cómo construir un discurso para exigir derechos en el día a día, más allá de una marcha gay, cuando salen estas iniciativas del presidente. Para las nuevas generaciones es un camino ya construido, como que pusieron el puentesote y ahora hay que enseñarnos a caminar por él. Debemos comenzar a exigir de nuevo y a construir. Creo que es el mayor de los retos, ante todos esos tipos de «activistas» que hay: el anecdótico, que platica sus vivencias y piensa que de lo que se tiene que hablar es de cómo él sufrió o no sufrió; están los «actimismos», aquellos que piensan que son los únicos y los chingones; están los activistas académicos que dicen, yo sé cómo están de mal pero nada más les doy datos y vean ustedes cómo le hacen, o los que duran 72 horas y luego empiezan a bufar a todos, como los que se dedican a criticar porque a lo mejor una vez hicieron algo y ahora todo les parece mal como a la abuelita. Y estamos los activistas que le chingamos día tras día.

*Precisamente estamos en el mes del orgullo homosexual, a unas horas de que ocurra la marcha en Guadalajara (18 de junio), ¿cómo asistirás a ella?*
    Las marchas dejaron ya de tener un sentido, que era la exigencia de la garantía de la visibilidad. Hoy en día, les

estamos buscando si son negocio o no son negocio y para qué sirven. Ahorita me dedico a ir y apoyar las marchas en diversas partes del país, porque yo ya tengo mucho camino recorrido. Cuando llego a los estados resulta que están apenas en la segunda marcha o la tercera, o se están comenzando a dividir y hay dos marchas porque ya salieron las «actimismas» con sus cosas. Yo ya me conozco el esquema, pero desafortunadamente no hay un manual. Está tan prostituido el activismo que hoy vemos un perro muerto en la calle, nos tomamos una *selfie* junto a él con una banderita y ya somos activistas.

*¿Cual es el activista gay ideal?*
Yo creo que la figura del activista es algo que se acabó. Estamos los que trabajamos convencidos de buscar la igualdad y los que son activistas por moda: no necesitan legitimar ninguna causa ni un discurso, simplemente salen, dicen lo que piensan y si es cierto o no, si afecta o no afecta, no hay ningún problema, total al rato se esconden. Así está el activismo. Otros trabajamos por una causa sin pensar que es negocio, porque muchos creen que es negocio estar en el tema de derechos de los gays. Pero nadie te paga por hacer una marcha, ni salir a exigir derechos de nadie, ni los mismos gays, pues. Nadie compra un libro de gays tan fácilmente, nadie lo edita.

*¿Fue fácil publicar* Los jotos*?*
No. En primer lugar no lo quería publicar porque yo quería ser la jota más perra de todas, y decir: «Yo tengo la información, si tú la quieres investígale, chulita, porque a mí me costó 19 años y miles de pesos de andar comprando

cosas». Pero cuando refería algún dato, había gente que se interesaba y me preguntaba más. Entonces dije: «Bueno, lo voy hacer». Y recurrí a muchos amigos para hacerlo a través de alguna editorial, pero no se dieron las circunstancias porque no se trata de una novela, o un anecdotario, era una cuestión de...

*Referencias, para mí es un libro valiosísimo porque te da la fuente, por ejemplo, de periódicos del siglo XIX como* La Orquesta o El Padre Cobos, *y sólo tienes que ir a buscarla a una buena hemeroteca.*

Sí, ya no tienes que consultar los 20 mil números que yo revisé. Tengo muchos de los periódicos más intransigentes del siglo XIX; incluso tengo más de los que hay en la Hemeroteca Nacional. Pero como que no le fue atractivo a las editoriales, y luego algunas universidades me ofrecieron imprimirlo pero no tenía que llevar el nombre de *Los jotos* ni la portada. ¡Y la portada me había costado 8 mil pesos! (es obra del joven artista tapatío Alfredo Roagui). Entonces decidí contratar una editorial (Prometeo) para que me lo hiciera. Le pedí una vez más financiamiento a mi hermana, que es pediatra, quien después de haber sido homofóbica como lo fue mi mamá hasta su muerte, se ha convertido en una de nuestras aliadas porque se enamoró de lo que hacemos, que es a contracorriente. Cuando saqué el libro, inmediatamente comenzaron a llamar de muchas universidades porque les pareció muy interesante. Me sorprendía mucho cómo se expresaban del trabajo: que ayuda en el tema del lenguaje, de la vestimenta, del comportamiento, de todas esas facetas de la historia de la gente de la diversidad que no se han estudiado. Yo digo que es una llave hacia el pasado, que facilita a quien quiera escribir de esos temas. El sentido de publicar el libro fue llevarle a la mayoría de los estados la información y la inquietud de investigar en sus regiones los temas que tuvieran que ver con los homosexuales, sacarlos a flote, hacerles justicia y escribir sus historias antes de que lo gay deje de ser tan palpable o tan hablado como es hoy en día. Yo creo que en unos 20 o 30 años el tema de lo gay suscitará comentarios del tipo ¡Cómo que existió discriminación, cómo que tenías que exigir, no lo entiendo!

*Que así sea, Jaime.*

Si seguimos en este rumbo, yo creo que así va a ser. Cuando la iglesia vea que somos un mercado que económicamente se le está yendo. Imagínate: si se casara una jota por la iglesia aquí, querría un vestido carísimo, y que sea en el templo más elegante que es el del Carmen. Y, por supuesto, que la iglesia esté llena de gladiolas y con el obispo *en perra*, así chingona, con los anillos y los ornamentos en color oro, «nada que de morado, usted se me viene en perrísima, señor cardenal».

*Háblame de tu trabajo en Codise.*

Desde hace muchos años nuestra intención era hacer un grupo fuerte, nacional, de la diversidad sexual, y así fortalecer a los grupos en los estados. Pero las circunstancias nunca se dieron. La primera organización se llamaba Grupo Federal de la Diversidad Sexual, que integramos en el 2003 con aquellos candidatos a diputados federales con los que hicimos historia desde México Posible.

*Tú fuiste candidato.*

Sí, yo fui también candidato, junto con Max Mejía, Concepción Castillo, Gabriel Gutiérrez, Armando Díaz, Rodrigo Rincón, y 40 más que no recuerdo. Ya sabíamos que no íbamos a ganar, pero lo importante de participar en un proceso electoral era poner en la agenda los derechos para los sectores de la diversidad sexual.

*Amaranta Gómez (la primera candidata muxe o trans mexicana) tampoco quedó.*

Tampoco. Luego entendimos la mercadotecnia electoral: el que un candidato o varios candidatos fueran gays, o de la diversidad sexual, no era garantía para atraer votos y, en el caso de Amaranta, que los gays no necesariamente apoyaban a una persona trans. Había que tener chavos que representaran otra cara del estigma social que hay sobre la gente de la diversidad, chavos bien preparados, con educación, con carrera, visiblemente bien, pues. Todo lo que vivimos hoy es el cúmulo de un montón de experiencias que hemos tenido, y quisimos hacer ese Grupo Federal de la Diversidad, pero no había las circunstancias. Luego fundamos Codise también como un grupo político nacional (primero como colectivo en 2003, y en 2008 como asociación civil). Comenzamos a afiliar gente en el país, pero en ese momento las reglas del IFE (Instituto Federal Electoral) cambiaron y ya no habría financiamiento para organizaciones políticas nacionales, así que nos quedamos otra vez igual. Hasta hoy, convencimos a otras organizaciones a nivel nacional e hicimos una agrupación que se llama Congreso Nacional de Mexicanas y Mexicanos Gays, Lesbianas y Personas Trans, que localmente tiene congresos estatales. El Congreso Nacional busca ganar la legitimidad para representar a ciertos grupos en el país. Porque, actualmente, el gran problema de los sectores de la diversidad es que no existen liderazgos reales. Un joto al día de hoy amanece y ya hizo seis organizaciones, hay unas que se llaman Comité Latinoamericano para los Derechos... ¿Latinoamericano? Si ésta ni para los camiones trae. No existe esa legitimidad, estamos todavía en una olla de grillos. Así que buscamos tener una agenda nacional en el tema de derechos, porque si bien se comienza a ganar el proceso para el matrimonio igualitario, sólo es el primer paso para dejar de ser gente de segunda y comenzar a ser ciudadanos plenamente. Pero nos faltan 99 pasos más.

*¿Cual sería el último paso?*

Lograr que la sexualidad ya no tuviera que ver. Ni hubiera distingo alguno, no sólo para los sectores de la diversidad, sino en todos los ámbitos, ya ves que por mi historia de vida yo tengo experiencia en varios tipos de discriminación (risa).

## Antonio Escalante
### Tijuana, un pueblo sin memoria

Antonio Escalante sale del baño del Bar Latinos, camina iluminado por las luces de neón junto a la pista donde un imi-
tador de Michael Jackson canta *Beat it*. En una de las mesas
identifica a Jorge Luis Villa y se detiene para saludar al grupo que lo acompaña, en el que me encuentro como uno de
los participantes de la Sexta Jornada Cultural contra la Homofobia, en esta ciudad de Tijuana, Baja California.

«¡Qué gusto, tocayo!», me dice al abrazarme. «Ahora
vengo con un amigo, pero como quedamos te espero mañana en casa para platicar».

Fue Jorge Luis, organizador de la Jornada, quien me su-
girió entrevistar al artista plástico, ya que estuvo ligado a
los primeros activistas de Baja California y tuvo la idea de
realizar, en 1994, una Semana Cultural Gay como la que

presentaba cada junio José María Covarrubias en el Museo Universitario del Chopo, en la Ciudad de México. «Ya no estoy muy conectado con el activismo gay», me advirtió Antonio cuando lo contacté vía Facebook la víspera de mi viaje para participar en la Jornada. «Después de que murieron los dos personajes más importantes, Alejandro García (en octubre de 2003) y Emilio Velásquez (el 29 de septiembre de 2006, a los 57 años), no ha habido otros aquí. Un caso aparte es Max Mejía». Max, originario de Colima, donde nació el 5 de junio de 1949, estudió antropología social en la ENAH de la Ciudad de México y participó en la fundación del Grupo Lambda de Liberación Homosexual; en 1991 se mudó a Tijuana, donde tras una intensa labor social y política por los derechos LGBT, falleció el 16 de febrero de 2015.

La mañana del sábado 14 de mayo encuentro a Antonio terminando de limpiar la estufa, en su casa del Fraccionamiento Diamante de Playas de Tijuana. «¡Me agarraste haciendo las labores propias de mi sexo!», exclama riendo mientras se apresura para termina la tarea. Luego me contará que cuando era niño y acompañaba a su mamá a hacer algún papeleo, al responder ella que era ama de casa, el burócrata en turno anotaba en el documento: «labores propias de su sexo».

Antonio tiene un gorro de punto azul marino que le cubre la cabeza que suele llevar a rape, dada su escasez de cabello. La barba entrecana de varios días, crecida sin cuidado, así como los vellos oscuros que asoman por los puños de la camisa azul agua y pueblan también sus fuertes manos morenas, le dan un aire de marinero curtido por la brisa salada. La estancia de su casa de varios niveles es luminosa y está decorada con algunas obras de arte abstracto que, ha descubierto, le permiten evocar algún sentimiento

de manera más efectiva que con la figuración homoeróti-
ca (que además no tiene buen mercado en Tijuana). Pero lo
que termina por seducir la mirada es el panorama desde las
ventanas, con la carretera escénica a Ensenada, una angos-
ta mancha urbana con construcciones de poca altura y, al
fondo, la franja del Océano Pacífico, que luce gris esta mañana nublada.

«Crecí junto al mar y 'ora sí que junto a los trenes del fe-
rrocarril», cuenta Antonio al sentarnos en la barra de la cocina, frente a una taza de café. «Jugaba en el mar, mi papá
(Arnoldo Escalante Mora) y mis hermanos mayores eran
pescadores, tenían lancha y también trabajaban en barcos
camaroneros, alguna vez me fui con ellos a pescar, y llegamos a vivir frente a la playa; era muy bonito».

Jesús Antonio nació por casualidad —«'ora sí que porque a mi mamá se le rompió la fuente»— en Juan José Ríos,
Sinaloa, un pueblo entre Los Mochis y Culiacán, porque ese
9 de septiembre de 1965 la familia había ido a visitar a los
abuelos.

Pero la casa playera de la infancia bonita, aclara, estaba
en Empalme, Sonora, un enclave ferrocarrilero contiguo a
Guaymas. «Así que crecí entre esos dos pueblos». La morada era modesta pero tenía un enorme patio, donde su mamá,
Guadalupe Verdugo Alcántara, cultivaba rosales y árboles
frutales. Hoy, en el patio de la casa que Antonio comparte
con Juan Arturo Kress, a quien durante 20 años ha llamado
amorosamente «mi Juanito», luce un tupido nopal, típico
de la localidad, en una alta maceta de barro.

Fue el menor de nueve hermanos. «Sí, mi mamá era bastante valiente», dice riendo, y vuelve a reír cerrando sus
ojos café verdoso, enmarcados por ojeras perennes, cuando

confiesa que su primera relación sexual fue con una niña: «Ella me violó a mí como a los 11 o 12 años».

Esa iniciación ocurrió en su sitio de juegos, el mar, precisamente como un juego dentro del agua. «Era una chavita vecina del barrio, que no era mayor que yo pero sí era más alivianada sexualmente, como suelen serlo las mujeres; había otros niños por ahí jugando y de repente ella me empezó a tocar, y claro que uno reacciona a estímulos de todo tipo; fue muy divertido porque andaba como si fuera un pez en el agua» (risas).

La imagen lúbrica del pez que se mueve en un medio acuoso le inspiraría años después una serie de grabados, «Erótica marina», donde estos seres nadan con cabeza de glande y aletas, deseosos de refugiarse en cavidades lo mismo masculinas que femeninas.

Aquella primera experiencia sexual ni le gustó ni le disgustó al púber Antonio, sólo le permitió «descubrir que tenía cuerpo y había hecho algo nuevo». Fue también en esa época cuando se sorprendió al darse cuenta de que le llamaban la atención «los señores» y que se erotizaba al estar cerca de hombres «con cierto olor, de carácter seguro, recio», de los que le atraía la textura de la piel, sin importar que fueran blancos o morenos. «Pero entonces no sabía cómo traducir todo eso».

A los 16 o 17 años, camino de la escuela, un día se cruzó en la calle de su pueblo con un muchacho entrado en la veintena que terminó por seducirlo. «Era un hombre casado, creo que ya nos habíamos visto y que él descubrió que yo le gustaba porque de pronto empezó a darme chance: me abordó, platicamos y pasó lo que tenía que pasar» (risas).

*No quiero detalles, pero ¿te invitó a su casa?*

Sí, lo hicimos en su casa. Su esposa andaba en su pueblo mirando a su mamá. No me sentí muy cómodo por esa circunstancia, pero por lo demás sí porque fue como un abrazo, no hubo nada de violencia o agresión, y no hablamos pero fue muy grato.

*¿Lo asumiste como la primera vez con la chica, como un descubrimiento?*

Lo que pasa es que en este caso hubo un leve enamoramiento que me causó un poquito de conflicto porque no era muy grato estar enamorado de una persona que no me iba a pertenecer. Entonces me distancié.

*¿Tuviste algún tipo de sufrimiento o tristeza por no poderte enamorar?*

Cuando eres tan joven estás por lo que viene, por lo nuevo, así que no me detuve tanto en eso. Después él se fue con su esposa a vivir a otra ciudad y ahí terminó todo.

*Supongo que en tu casa no podías hablar de estas cosas.*

¡Por supuesto que no! (risas). Eran mis secretos.

*¿Cómo fue tu primer amor?*

Híjola, es que ha habido varios...

*¡Qué presumido!*

No, lo que pasa es que de chico vas conociendo gente y te enamoras en cada acostón, confundes el amor con el hecho de que te cojan bien (carcajadas). Cuando maduras es cuando verdaderamente te enamoras, cuando conoces a la persona ideal. Como dicen: el amor no es algo que se busca, es algo que se encuentra y así yo en un tiempo andaba buscando el amor y no lo encontraba, hasta que llegó de repente...

Ese arribo inesperado ocurrió una noche de 1997 en el Escore, un pequeño bar en el Centro de Los Ángeles que, curiosamente, había sido el primer antro gay que Antonio visitó en un viaje a la ciudad californiana, cuando tenía 20 años. En sus propias palabras, el encuentro con su Juanito, un hombre que encarnaba las características que lo erotizaban desde pequeño, ocurrió así:

Yo iba acompañando a un amigo y era la primera noche que salía después de tres meses de haber terminado mi relación con un gringo (Bob, a quien conoció en un bar de Tijuana y con el que se había mudado a vivir a Los Ángeles un año antes, pero lo tuvo que dejar porque resultó ser «muy celoso y controlador»).

Juan estaba en la barra, desde un principio me gustó. Lo recuerdo como un señor muy serio, amable porque después de que mi amigo y yo nos pusimos una guarapeta, nos llevó en su coche de regreso a Hollywood, pues él sólo tomaba refresco. A las dos semanas le llamé para que me llevara en su coche a la bienal de Absolut en una galería de Santa Mónica. Ahí empezó el romance porque resultó que también le gustaba el arte. Ahora mi Juanito hace fotografía artística y comercial, trabaja aquí y del otro lado. Justo ahorita está en Los Ángeles por un asunto de trabajo. Con una pareja anterior, mucho tiempo se dedicó al diseño de jardines en Estados Unidos. Nació en el Salvador, de madre salvadoreña y padre «gringo alemán», y luego la familia se fue a vivir a Estados Unidos debido a la guerrilla. Es mayor que yo, el próximo 1 de diciembre (de 2016) cumplirá 63 años.

Anduvimos como tres meses de manita sudada y me ena-moró porque ningún novio me había abierto la puerta del auto. Es un caballero y lo más importante de todo: aguantó mi neurosis. Después de esos tres meses nos fuimos a vivir juntos. Formamos una familia él, yo y Lolly, una periquita que murió a los pocos meses que llegué a su casa, creo que de celos (risas). Vivíamos en Glendale, luego nos mudamos a Silver Lake, donde pasamos los primeros 10 años juntos antes de mudarnos aquí, a Tijuana. Desde entonces lleva-mos una excelente relación. Cuando tuvo lugar el primer *boom* de los matrimonios gay en San Francisco, nos fuimos a casar allá, pero ya ves que hubo pedos en la Corte Federal de Estados Unidos con el tema y esos matrimonios fueron anulados.

*¿Te casarás en México con tu Juanito?*
Sí, claro que sí. Nos tenemos que casar. No tenemos fe-cha exacta, pero sabemos que tiene que ser este año o el que viene. Quizá lo hagamos en la Ciudad de México porque no quiero pagar los no sé cuántos miles de pesos que cuesta el amparo aquí en Tijuana. Y nos vamos a casar también en San Diego.

*Supongo que te conoce la familia de Juan.*
Es hijo único; ahora sólo son él y su mamá. Sí, me llevo muy bien con mi suegra, nada más una vez me lanzó por las escaleras (carcajadas). No te creas, nos llevamos muy bien.

*Y tu familia lo conoce, claro.*
Sí, mis sobrinos lo tratan muy bien. Mis padres ya mu-rieron, pero toda mi familia sabe que soy gay.

*¿Cómo fue tu salida del clóset?*

Creo que fue fácil. Como yo estaba relacionado con las artes, de pronto tenía en Sonora muchos amigos bailarines, actores, ora sí que, como dicen en el rancho, «jotitos», que siempre visitaban mi casa.

*¿No los veían feo y te preguntaban por qué tenías esas amistades?*

No.

*¿Cómo lo verbalizaste con tus padres?*

Se comenzaron a dar cuenta. En una ocasión, mi hermana me preguntó algo y yo le dije: «Si tienes algún conflicto con ello, yo no lo tengo». Y me dijo que no tenía conflicto. Entonces, no tuve broncas.

*¿Con tu mamá tampoco, no hubo drama familiar?*

Es que hay cosas que no necesariamente tenía que decirles; con mi mamá nunca toqué el tema y tampoco ella me cuestionó. Los que alguna vez lanzaron indirectas fueron unos primos, pero es familia menor, no me importaban. Ahora que, no tenía tanta bronca por mi personalidad, porque si es cierto que se me nota cuando quiero, no lo ando anunciando ni lo ando ocultando. De niño, cuando visitábamos a los primos, igual nos bañábamos en el río todos desnudos y no había ningún pedo porque yo no les andaba mirando las talegas (risas), no me iba a exponer a una agresión. Hace poco un chavo se estaba quejando en Facebook de que lo habían agredido en un bar de Ensenada que no era gay porque estaba haciéndose arrumacos con su pareja y lo sacaron a empujones. Yo sólo le dije que para eso están los lugares gay.

*Pero sería vivir en el gueto. Tendríamos que ser respetados en todas partes, ¿no crees?*

Bueno, sí. Pero ese lugar no era gay y se estaban cachondeando. Lo que le pasó a este chavo refleja el nivel que tenemos en el país.

*¿Qué tan fácil es ser abiertamente gay en Tijuana?*

Pues, no es tan difícil, depende de cómo lo vayas a ser. Te aseguro que si llega un transexual a un restaurante, lo atienden, no hay bronca. Pero si ese mismo transexual se quiere casar, no lo puede hacer aquí, tendría que sacar un amparo, y no sé cuántos pedos le implicaría irse a casar a la Ciudad de México.

*¿Pueden ir dos hombres de la mano o dos mujeres besándose en la calle y no pasa nada?*

Creo que no pasa nada. Pero en un momento dado sí puede haber agresión contra los homosexuales. Aunque esa agresión la hay hasta en Los Ángeles. Me acuerdo que vivía en Hollywood e iba a la escuela al Este, y como en ese tiempo tenía decolorado el cabello me ponía una gorra, porque ahí no estaba en West Hollywood, que es el área netamente gay. ¿Sí me explico? No me quería exponer. No soy activista, no ando con mi pancarta, y quizá alguien que lea esto, dirá: «¡Ah, pues qué mamón!». Pero yo creo que tienes que aprender a cuidarte y manejarte en la vida, tienes que estar, como dicen los gringos, *on guard*, en guardia. Igualmente los niños tienen que cuidarse y las mujeres, hay un chingo de acoso horrible hacia las mujeres. Los gays también tenemos que cuidarnos porque, de lo contrario, quién chingaos nos va a cuidar. Uno de mis mejores amigos fue víctima de odio en Tijuana, lo mató horriblemente un tipo que conoció en el bar El Ranchero, de donde se lo había llevado a su casa. Eso fue en 1996 y, por cierto, el bar sigue abierto. El mismo cuate golpeó a otras tres personas que yo conocía.

*¿Iba a buscar homosexuales al bar para agredirlos?*
Sí. A mi amigo creo que fue al único que mató, pero hubo otros que aparecieron con la nariz reventada; lo denunciaron pero no lo atraparon nunca. En ese tiempo había prensa gay aquí en Tijuana, se hizo un retrato hablado, se estuvo bombardeando mucho a los periódicos, y yo creo que el tipo terminó huyendo a Estados Unidos.

En 1988, con 17 años, Antonio se fue a vivir a otra ciudad bajacaliforniana con mar: Ensenada, donde tenía familia. No había resultado bueno para la escuela y quería trabajar en lugar de seguir estudiando. Aunque en las aulas no lo trataron mal porque tuvo la suerte de no sufrir acoso debido a que no fue un niño afeminado. Fantasioso, aventurero y muy libre, le gustaba jugar futbol y beisbol, hacer montañismo con sus compañeros y nadar, precisamente en ese mar de los descubrimientos.

En Ensenada trabajó un tiempo para el comité que organizaba el famoso carnaval de la localidad; hacía escenografía para los carros alegóricos. Poco después se mudó a Tijuana, donde igualmente tiene parientes, simplemente porque había ido en unas vacaciones y «de repente me gustó más Tijuana».

Desde la infancia ha dibujado y tomó clases de pintura en una casa de la cultura, igual que de actuación y escenografía, danza y algo de performance. «Sólo me faltó cantar, aunque también estuve en un coro católico». Posteriormente hizo cursos de diseño gráfico. «Me considero autodidacta», presume.

Cómo le llegó el arte es una cuestión que Antonio no sabe precisar, aunque todo apunta a que fue también jugando en Empalme, pero no en el mar sino en el gran patio floreado de su casa, donde su mamá instaló un «hornito como iglú» para preparar coyotas, empanadas y coricos para la familia.

«Yo hacía figuritas de lodo y las ponía en las carteras para que se fueran al horno, claro que mi mamá me regañaba y me daba mejor bolitas de masa para que le ayudara, pero yo quería trabajar el barro».

Con ese bagaje creativo, en Tijuana consiguió trabajo en una imprenta. «Hacía a mano todo lo que hoy se hace en computadora: formas, diseño de papelería, carteles, qué se yo».

El diseño de carteles lo llevó a colaborar con los pioneros del activismo gay en esas latitudes y organizar la Semana Cultural Gay, como ahora él me cuenta:

El primer café gay se inauguró aquí en 1978 y estuvo abierto hasta el dos mil y cacho, no me acuerdo bien. Era el Café Emilio's, propiedad de Emilio Velásquez (Ruiz), un abogado que fundó una asociación que se llamaba Frente Internacional por las Garantías Humanas en Tijuana (FIGHT). También fundó el periódico *Frontera Gay*, que posteriormente retomó Max Mejía y le cambió el nombre a *Arte de vivir*. Pero *Frontera Gay* era un nombrazo, a mí me encantaba. En el café también se hicieron grandes actividades culturales.

A Alejandro García lo conocí, ¡*híjolas*!, ahora sí que en un bar, creo que se llamaba El Taurino, en la Coahuila (la calle emblemática de la zona roja del Centro de Tijuana). El caso es que nos hicimos compas y me habló de su revista, ¿*Y qué?*, nombre que también tenía su grupo activista, al que me invitó. En varias ocasiones lo ayudé a diseñar carteles y mantas o a decorar algún evento de los que organizaba en los bares para la lucha contra el VIH, porque en ese tiempo la gente estaba muriendo de sida cabrón, como moscas, así que había mucha necesidad de trabajar, de manifestarse y yo contribuía con lo que podía, desde el arte.

Recuerdo a Emilio vestido de monja y repartiendo en patines condones por la calle algunos fines de semana. Alejandro y Emilio estuvieron unidos al principio pero luego, como todos los grupos de jotitos, se agarraron del chongo y se separaron, aunque siguieron trabajando por la causa del sida y fueron personajes muy valiosos en los primeros años de la pandemia.

En 1994 yo estaba trabajando en el Departamento de Cultura municipal, que hoy es el Instituto de Arte y Cultura de Tijuana. Se me ocurrió hacer una Semana Cultural Gay. Entonces me acerqué con Alejandro para proponerle la idea, y fue bien curioso porque cuando se lo dije me respondió: «No, aquí los jotitos no son cultos, nomás son muy putos» (carcajadas). Le aclaré que no sería sólo para los jotitos, sino que lo pensaba como un evento para toda la gente, con actividades que de alguna manera fueran culturales y resultaran divertidas, para así dar visibilidad a la comunidad. El caso es que me dijo que no y como yo no lo podía hacer solo, necesitaba un respaldo político, me fui con Emilio, y él me dijo: «¡Claro que sí!».

Fue muy padre porque esa idea se enriqueció mucho con la participación de Max Mejía, por supuesto, y de Pepe Covarrubias de la Ciudad de México, porque ellos tenían vínculos y relaciones, y Pepe se trajo de la capital una cantidad enorme de artistas de talla grande. Así conocí, por ejemplo, la obra de Nahum B. Zenil, de Reynaldo Velázquez, de Rafael Cauduro y de Francisco Toledo, y al año siguiente la Semana Cultural Gay ya tenía un prestigio.

El primer año fue muy difícil conseguir un lugar donde hacer la exhibición de arte; la montamos en La Capilla de Frida, que era un café galería que estaba situado en la Plaza del Zapato, que posteriormente fue la «Plaza del Balazo» por un crimen que hubo ahí, y que ahorita ha tomado revuelo otra vez por la cerveza artesanal que ahí se ofrece. No recuerdo exactamente cuántas obras reunimos, pero había muchas que venían de la Ciudad de México, más las de los poquitos que se animaron a participar, que fueron los más valientes.

*¿Quiénes fueron esos valientes?*

Híjola, espero que no se me escape ningún nombre, pero participó Manolo Escutia, que ahora está trabajando en el Centro Cultural Tijuana, es un señor que admiro y además fue mi maestro de diseño gráfico en la Casa de Cultura de Tijuana; Lourdes Lewis, una señora muy linda que fue directora de la Galería de la Ciudad, y albergó ahí la obra gay, los siguientes años; también José Pastor... Dentro de la Semana se realizaron muchas actividades de literatura, de cine, incluso se presentó aquí por primera vez la película *Fresa y chocolate*, la proyectamos en la Casa de la Cultura. Hubo también eventos de danza, de teatro y, por supuesto, talleres de sexo seguro y de información sobre el VIH.

*Supongo que además de organizar la Semana, expusiste.*

Sí, claro. Presenté dos obras: un retrato de una travesti muy conocida en el medio, La Ramona, quien había muerto recientemente. Era originaria de Tijuana, trabajó aquí en la putería desde mediados de los 1970, primero en un lugar *straight*, y luego a medida que los bares gays se fueron haciendo populares, estuvo en el Noa Noa (el primero en abrirse). La otra pieza era un cuadro con la imagen de dos hombres en un abrazo. Y aclaro que no organicé yo solo la Semana, hicimos un comité de trabajo con María Sabina Maytorena, una chica culterana; Max Mejía, Emilio Velásquez, Oscar Soto y yo.

*¿Alejandro García no terminó sumándose?*

No. Fue bien curioso porque, en paz descanse, pero después a Alejandro le dio mucho coraje lo que estábamos haciendo, y se le ocurrió hacer la marcha gay. Resultó muy rico que se propiciara eso, porque también fue en junio del 94, como la Semana. Te decía que eran grupos divididos, como también pasaba en la Ciudad de México, pero a final de cuentas estaban trabajando por la misma causa. La marcha estuvo también muy bonita, con participación de gente de San Diego y unos poquitos de aquí de Tijuana; ahora es más rica, hay más gente y va por la avenida Revolución.

*¿Sigues participando aunque no sea en la organización? ¿Vas a la marcha?*

No, a veces por mi trabajo, a veces porque... La he visto y se me hace muy divertida. Pero nunca me he sumando al contingente. He participado en la de Los Ángeles y en la de San Diego.

*¿Acá por qué no?*

No sé, porque nunca me han invitado (risas). No tengo broncas con que sepan que soy gay, lo manejo abiertamente...

Lo que pasa es que, ¡híjola!, creo que no está bien estructurada todavía, creo que es más relajo que una buena marcha. En la de Los Ángeles, donde he participado con la agencia Bienestar, sacan un carro alegórico lleno de niños portadores de VIH, vestidos de blanco, o va un contingente de padres de familia, de matrimonios de gays o lesbianas; no sé, aquí yo lo que veo es gente gritando, se vienen las travestis de los bares, tetonas; realmente no se me hace muy propio. Si participaran los artistas plásticos tal vez me animaba, pero muchos están en el clóset (carcajadas).

*¿Todavía?*

Yo creo que sí, aunque ahora hay más apertura que cuando empezamos y yo era uno de los pocos que estaban fuera del clóset, junto con otros que ya murieron.

*Esta mañana vi pasar por la avenida Revolución mucha gente bailando y cantando, con carros alegóricos, en la «xx Marcha para Jesús». ¿Has sufrido el fanatismo religioso acá, alguna censura o señalamiento por ser gay?*

De una u otra manera, siempre ha habido censura, a veces más sutil, a veces más fuerte. También creo que hay una autocensura, porque en mi caso al principio pensé en no darte la entrevista, porque uno tiene miedo a las agresiones, no tanto a lo que los otros puedan decir, sino hacerte físicamente. Luego pensé que es muy importante un documento como éste, sobre todo en ciudades como Tijuana, un pueblo sin memoria que cada día se inventa, y donde ya no existen líderes gay, ya se murieron todos.

*¡Ah, nunca me dijiste que no querías!*

Sí, porque también uno tiene que ser valiente para enfrentar las posibles agresiones. Aunque a mí no me han agredido físicamente porque me he sabido cuidar. Y creo que ha sido también porque no soy tan obvia, como tú mismo me decías, pero también porque me he sabido manejar o defender en algunas situaciones. Me acuerdo que cuando trajimos la primera muestra gay me pasó algo muy chistoso: Llevaba las obras en el carro y me estacioné frente a una mueblería, cerca de donde las iba a entregar. Un tipo estaba limpiando los vidrios y me dijo que no podía quedarme ahí. «Un ratito nada más, sólo bajo estas cosas y me voy», le dije. En eso salió el dueño de la mueblería y el tipo le explicó: «Le dije que no se podía estacionar aquí». Luego agregó: «Es puto». Había entre las obras una verga tallada en madera, creo que de Reynaldo Velázquez, que saqué en ese momento y le dije: «¡Sí, güey, me gusta la verga de este tamaño!» (risas).

*¿Y cómo se quedó el tipo?*

Se quedó impactado porque no esperaba ver una macana de ese vuelo, ja, ja. Y me acaba de pasar que me censuraron una de mis obras, *Glory Hole*, que ya te imaginarás...

*¿Es la que está en la muestra colectiva que se inaugura hoy en la Jornada?* (Una obra mixta con la figura en yeso de un pene erecto que sobresale de un agujero practicado en una especie de mampara grafiteada, como la que divide las cabinas de los baños públicos).

Sí, ahora la presento ahí, pero el caso de censura fue de lo más absurdo, no te imaginas que a estas alturas de la vida vaya a pasar algo así. Un chavo que acaba de abrir un cafecito, dizque gay, se le ocurrió hacer una exhibición erótica y me invitó a participar. Yo tengo dos décadas en el arte y la verdad ya no participo tanto en cafés, pero dije, «bueno, si estuve hace 20 años iniciando un movimiento, ¿por qué no participar en esta muestra?». Y cuando llego a recoger la pieza me encuentro que ¡le habían puesto un trapito cubriéndole el pene! Entonces, te digo, sí lo agreden a uno, porque esto es una agresión al arte, es una ofensa al artista.

*¿Y qué razón te dieron?*
El argumento más absurdo: que también van niños al café. ¡Pero los niños no son morbosos, no tiene prejuicios, eso es un problema de los papás! Lo curioso es que dejaron descubierta otra pieza que presenté con una vagina, muy bonita, hecha en tela. Se llama *Noche de bodas* porque es como la famosa sábana que bordaban las abuelas a las hijas casaderas. Tiene un orificio a través del que se ve la vagina en el interior. ¡Esa no la censuraron! Le dije al cuate que la organizó: «Ok, no hay bronca, no voy hacer ningún escándalo, pero no es posible que después de más de 20 años que se originó el movimiento cultural gay aquí en Tijuana, tú estés censurando una pieza, documéntate antes de hacer las cosas, investiga a fondo y no vuelvas a organizar algo si no tienes los huevos. Tienes que ser valiente».

El sol ha salido al despejarse las nubes y ahora, desde las ventanas de la sala, el Pacífico se advierte de un azul luminoso, casi eléctrico. Antes de despedirnos, Antonio me regala un testimonio más de su vida y arte: el dibujo a tinta de un hombre acuático, con aletas en los tobillos y una erección que, imagino, le ha provocado la inminente visita, por detrás, de un travieso pez con forma fálica.

## Antonio Salazar
### Éramos unos asquerosos románticos

La tarde luminosa del 9 de diciembre de 2014 llegué al edificio histórico de la Academia de San Carlos para entrevistar a Antonio Salazar. El motivo era que se habían cumplido tres décadas de que fundó, al convocar a estudiantes y colegas de la Escuela Nacional de Artes Plásticas de la UNAM, el Taller Documentación Visual (TDV), un colectivo artístico que aprovechó el talento de cada uno de sus 12 miembros para, a través de la experimentación, crear obras de denuncia social sobre la miseria, la corrupción, el abuso del poder y muy pronto, por la realidad que afectó a los gays en la década de 1990 y trastocó la vida del propio Antonio y su pareja Jesús Garibay, la lucha contra el VIH/sida.

Era la primera vez que estrechaba la mano del profesor, artista y activista, quien desde el primer vistazo me pareció atractivo y aún jovial a sus 58 años. Para la ocasión me había documentado, gracias a la orientación del promotor cultural Salvador Irys, en el libro conmemorativo que en 2004 reunió, acompañadas de diversos ensayos, las más de 1 000 obras creadas por el TDV en sus 15 años de existencia (1984-1999). Pero debo confesar que aún no conocía *Ecce homo* (ENAP/UNAM, Grupo Fogra, 2007), con las fotografías artísticas de inquietante contenido homoerótico de mi tocayo el profesor Salazar Bañuelos, ni los dos tomos de su *Álbum de familia* (ENAP/UNAM, Grupo Fogra, 2010), definido por su propio autor como «libro de experimentación artística» —y yo agregaría cachonda—, con un amplio material gráfico propio y tomado de varios autores y fuentes como el Archivo General de la Nación e Internet, sobre la amplia gama de la diversidad sexual.

Antonio me recibió en su amplio e iluminado taller donde, frente a un par de computadoras ubicadas en un rincón, estaban absortos algunos de sus alumnos del Posgrado en Artes Visuales. Nos sentamos frente a frente en una mesa de trabajo y durante más de una hora desplegó la calidez y sinceridad propia de una persona encantadora, nada más alejado a su fama de misántropo, sobre la que Irys me había advertido.

Al despedirme, después de hacerle algunos retratos en actitudes incluso juguetonas junto a las réplicas de esculturas clásicas que adornan el patio de la Academia, le dije a mi tocayo:

—Me gustaría ser tu amigo.

—No soy muy sociable —me respondió riéndose—. Si quieres llámame, pero no te prometo nada.

Sólo lo vi una vez más, en compañía del fotógrafo que hizo las imágenes para ilustrar el artículo de *Reforma* que apareció en la portada de la sección *Cultura* el sábado 27 de aquel diciembre de 2014.

Casi dos años después de esa tarde otoñal, mientras estaba trabajando en este volumen de entrevista, el 27 de octubre Antonio murió a causa de un tumor cerebral que durante varios meses lo fue mellando. Su deceso me llevó a releer la transcripción de nuestra charla con la intención de retomar algunas ideas para dedicarle un obituario en mi columna «Nosotros los jotos» del diario *Metro* (8/11/2016). Me di cuenta de que la mayor parte de la entrevista era inédita ya que, por cuestiones de espacio, lo que publiqué sobre la efemérides del TDV en *Reforma* fueron escasas dos cuartillas, que aparecieron ilustradas con «Jesús y el diablo», la fotografía icónica de la lucha contra la pandemia en la que Antonio aparece con los atributos de satanás (cuernos, cola y pezuña de chivo) abrazando a su pareja, Jesús, visiblemente diezmado por el sida.

Léase el siguiente texto como homenaje a un hombre honesto que —me parece—, gozó y sufrió la vida intensamente, y colaboró con arte en la reivindicación de los derechos de los homosexuales.

*A 30 años, ¿cómo dimensionas la obra que hicieron en el Taller?*

Pregunta difícil. Actualmente me sirve mucho para mis clases; en aquel momento fue una reflexión que nos hicimos sobre el acto de crear y hoy se ha convertido en una reflexión que se pueden hacer los artistas sobre el acto creativo. No sé si otra gente le encuentre interés, pero me la pones difícil porque me preguntas sobre mi propio trabajo.

*Sí, sobre tu trabajo y el de todos los participantes porque eras el coordinador. Entiendo que no había firmas porque el Taller iba en contra del individualismo burgués del autor único, pero fuiste la figura que convocó. En ese momento estaban inmersos en la creación, pero ¿cómo lo ves ahora: es vigente, qué aportación hizo a la* ENAP *o a otros artistas, a tus alumnos o seguidores? ¿O es algo que ocurrió en un momento y ya pasó?*

Estás haciendo puras preguntas incómodas. Por nuestra procedencia... Yo vengo de una familia de campesinos y sólo conocía a los muralistas, Diego (Rivera), (José Clemente) Orozco, así que cuando me interesó la pintura, creía que con ella iba a ayudar, como decía Siqueiros o Rivera, a la toma de consciencia de la gente. Después me di cuenta de que no va por ahí el asunto, que el problema de la pintura es que hay mucho romanticismo y todo lo que tú quieras, pero en los medios masivos de comunicación la pintura ya no está funcionando. Tan es así que cuando aparece el problema del VIH/sida y nosotros queremos colaborar, hacer una pintura llevaba uno o dos meses, así que imagínate lo que tardabas para tener 12 cuadros (sobre la temática) y exponerlos. ¡Oye, maestro, así no podías hacer mucho! Además de que ibas a exponer en un ámbito cerrado, para conocedores, ¿y el *pópolo*, el vulgo? Quedaría totalmente fuera. Al darnos cuenta de eso, nos pasamos a la fotografía porque tenía la gran ventaja de lo inmediato. Si alguien necesitaba un cartel para promover alguna cosa, hoy sacabas la foto, mañana hacías el diseño y pasado mañana ya tenías el cartel en la imprenta. ¡Era rapidísimo! Y además sacabas mil o dos mil ejemplares, tapizabas la Ciudad de México, los mandabas, no sé, a Chihuahua. A diferencia de lo que implicaba mandar un cuadro, que era un show por el tamaño, el cuidado; con los carteles no importaba que se te perdieran en el camino, tenías otros o sacabas otra edición.

Por eso nos pasamos a la foto. Actualmente mi posición es muy pesimista: creo, junto con otros autores, que estamos en la postmodernidad, que a partir de los 70 aparece la post-modernidad, el famoso «todo vale», porque no hay un camino, hay que reconsiderar la pintura. Después del blanco sobre blanco de (Kazimir) Malévish, el negro sobre negro o el cuadro monocromo, había que replantearse por qué pinta uno. Mi opinión muy personal es que apareció el internet y se llevó al carajo las artes visuales desde el punto de vista tradicional. Actualmente, con el Photoshop, con el internet y demás, puedo hacer una exposición, subir mis cuadros y compartirlos a nivel mundial. Nada de que nomás aquí en la escuelita o allá en Querétaro.

*También está la difusión que te dan las redes sociales.*
Y así te sigue la gente que no va a las galerías, porque de repente la obra se concentró en los coleccionistas, en la gente que le gustaba el arte, pero nada más, no había ese impacto en lo social. Claro, nosotros nos dedicamos a la foto, la integramos a la lucha contra el sida y creo que funcionó muy bien nuestro trabajo (apoyando con materiales gráficos las campañas). Y funcionó tan bien que nos afectó porque de repente nos veían como una ONG que trabajaba en la lucha contra el sida y no como un grupo de artistas. Porque nos desvinculamos un poco del ámbito tradicional de las exposiciones, los concursos y demás, y nos dedicamos a algo más inmediato, a exponer en hospitales, en centros médicos. Y ahí fue donde se fracturó el asunto y llegamos a la disolución del grupo porque nos dimos cuenta de que nuestros intereses ya iban totalmente por otros lados.

*¿Después de esos 15 años de creación colectiva?*
Sí. Cuando empezamos en la lucha contra el sida...

*¿Eso fue el detonante para la creación del Taller? Porque la pandemia inicia antes, desde 1982-83, y en 84 empiezan con el colectivo tú, Marco Aulio Prado y Gabriel Castro Rocha* (luego se irán incorporando Rubén Gómez-Tagle, Gustavo Guevara, Francisco Marcial, Víctor Hugo Martínez, Enrique Méndez, Israel Mora, Sergio Carlos Rey, Ricardo Serrano y Carlos Veloz).
Más o menos. Para platicarte la historia no contada, como se dice vulgarmente, lo que pasa es que yo tenía que dar un chorro de clases porque necesitaba dinero, no vengo de familia pudiente. Ya era profesor y daba clases en la maestría (en Artes Visuales), pero tenía cuatro o cinco horitas, lo cual no me daba para comer, y además necesitaba comprar los materiales. Así que me llené de horas, di clases en el CE-DART (Centro de Educación Artística del Instituto Nacional de Bellas Artes), la Esmeralda, aquí mismo de más cosas. Y los chicos a los que les daba clases, por ejemplo en el bachillerato de artes en el CEDART, me decían: «Ay, maestro, avísenos si sabe de un trabajo preparando telas». Hasta que me cayó el veinte y pensé: «Estoy ganando buen dinero, así que les puedo dar algo para que me adelanten el trabajo y hagan los bastidores, preparen las telas, etcétera. Los voy a contratar como ayudantes para que me hagan estas cosas mientras yo doy clases». Lo que pasó después fue que empezaron a salir las obras y los alumnos, bueno, los ayudantes me plantearon que les diera crédito porque, me comentaban: «Al fin y al cabo nosotros pintamos y hacemos todo». Y me cayó el veinte: «Sí, ellos hacen todo y yo nada más los guío, ok». A mí no me gusta lo de ayudantes porque en realidad la obra la

hacen ellos, teníamos una discusión, les preguntaba: «¿Tú, qué opinas?». y siempre daban propuestas, así que les propuse crear un grupo. Era una idea que me venía de los grupos de los 70, el grupo SUMA, Proceso Pentágono, y yo había querido formar grupos y nunca lo había logrado. Pero en este caso funcionó. Los chicos estuvieron de acuerdo, se hizo un grupo de cuatro, creo que empezamos Marco, Gabriel, yo y alguien más que no recuerdo. Y cuando queríamos contratar gente la poníamos a prueba un año para ver si nos llevábamos bien. Empezábamos por ver qué hacía bien cada uno y respetábamos las diferentes habilidades: el que era bueno en dibujo los hacía, el que era bueno pintando, en el aerógrafo o teorizando, que era mi caso. Así surgió el grupo y fue muy interesante y maravillosa la experiencia porque nos unimos también por otra cosa: salíamos muy mal preparados de esta escuela. No creas que estuvo fácil el asunto, aquí la educación artística no ha sido muy buena. La mayoría de los profesores te ponen 10 para no discutir contigo. Yo iba con un profesor y le decía: «Maestro, ¿qué le parece mi dibujo? ». «Huy, maravilloso, muy bien, sigue por ahí». Y yo lo que quería era que me señalara cuáles eran mis errores, cómo mejorar. Casi me dejaban solo. Así que salimos muy mal preparados. Cuando terminé la licenciatura y pensé: «Ahora, ¿para qué sirvo? En los anuncios de los periódicos no solicitan pintores, ¿de qué voy a vivir? ». Entonces me metí a la maestría. «Pos, mientras se me aclara el cerebro vamos a seguir estudiando, ¿no?». Porque yo no me sentía capaz de nada. Y cuando nos formamos en grupo, lo maravilloso y extraordinario es que si nos ves por individualidades, todos, perdón por la palabra y espero que nadie se ofenda, éramos mediocres, como cualquier alumnillo. Pero sacando las mejores habilidades de cada uno y sumándolas con las del otro, del otro y del otro, hacíamos cosas que la gente decía «¡Wow, qué maravilla de trabajo!».

*Se potencializaban al estar en grupo.*

Exacto. Y dábamos una visión que no era la de un artista, era la de cinco mediocres, más o menos, que al juntarse dejaban a un lado la mediocridad y salían trabajos de excelencia. Así empezamos con el Taller. Después vino lo de la lucha contra el sida, el uso de la fotografía y actualmente creo que la pintura está fuera de lugar, no le veo ninguna posibilidad. En esta escuela, hasta hace unos años, antes de que se fuera el maestro Leo Acosta, todavía se daba clase de litografía, ¡cuando ya ni siquiera hay piedras litográficas! «¡Entonces, maestro, pues para qué dar litografía!». Actualmente están dando grabado en hueco y dices: «Oye, maestro, si tienes el Photoshop ¿para qué andas con los ácidos y todo eso?». Soy muy crítico en ese sentido.

*Entonces te parece bien la evolución y el uso artístico de estas técnicas digitales, la difusión que permite internet...*

¡Se me hace maravilloso! Lo que me da coraje es no haberlas tenido antes para no estar pendejeando, haciendo 20 mil cosas porque además te venden la idea de que la gente va a valorar tu trabajo por lo que es, por lo que significa, y no, son relaciones públicas, es el cuate que invita al cuate, y el crítico que habla bien de ti porque le regalaste una obra. Es una pequeña mafia, así son las relaciones humanas, no hay nada de que yo veo el trabajo y, si es bueno, lo alabo; no, si eres mi cuate te ayudo y si no, me vale madre.

*Ese trabajo de potencializarse como grupo, ¿lo hacían nada más por el amor al arte, por una colaboración social en la lucha contra la pandemia o también ganaban algo?*

No. La verdad es que éramos unos pinches y asquerosos románticos que creíamos en el poder del arte, de la protesta. ¡Éramos unos escuincles! Yo nací en 1956 (el 24 de julio), tenía 28 años entonces.

*¿Naciste en la Ciudad de México? Cuéntame algo de tu biografía.*

Sí, soy chilango cien por ciento. Mis padres eran campesinos de Zacatecas, los dos, y vinieron a la ciudad muertos de hambre. Llegaron a vivir a la Tlacotal, muy jodidos, sin cultura; mi papá terminó la secundaria a los veintitantos años y a mi mamá nada más la dejaron estudiar la primaria, en su casa no había libros, no había nada. Nos sacaron adelante como Dios les dio a entender. Yo los comprendo y a lo mejor es algo positivo: ellos tenían los hijos como en el campo, como fuerza de trabajo, así que la lógica de mi casa era: «Nosotros te sacamos adelante, órale, caite con lo que te toca». Porque fuimos seis hermanos, yo fui el mayor, así que sobre mí recayó la presión de «ándale, apúrate a terminar la carrera y a chambear, ¿no ves a tus hermanos cómo están?».

*Seguro cuando les dijiste que querías ser artista se preguntaron: ¿qué le pasa a este hombre?*

No, no, no; fue un drama. Mi madre me dejó de hablar tres meses porque al principio yo había dicho que quería ser veterinario o médico, y no veían mal lo de veterinario porque venían del campo. Y estaba tan mal nuestra situación económica, que nos quisieron meter a los dos hermanos mayores, yo y Cacho (Anastasio) al Ejército, porque ahí nos mantendrían. A mí a la Marina y a Cacho al Ejército. (Suspiro). Yo dije que no, que ni madres, pero mi hermano dobló las manos, se salió de la Prepa 1 y lo metieron a la Escuela Militar de Oficiales de Sanidad. Él logró ser médico militar, pero como no era su vocación ya renunció al Ejército, se fue a Canadá donde hizo un doctorado y está trabajando como médico. Y yo sigo aquí, en las artes; lo único que me da mucho gusto, que es la gran satisfacción de mi vida, es que todo mundo me juró y me perjuró que me iba a morir de hambre, pero por fortuna no me he muerto de hambre. ¡Es mi gran victoria!

*En el libro conmemorativo del Taller no se aclara por qué se separaron, y de una manera tan formal firmando un convenio.*
El grupo se acabó, en parte, porque crecimos.

*¿Dejaron de ser mediocres?*
No, eso fuimos siempre (risas). No, lo que pasa es que éramos escuincles cuando empezamos, pero al llegar a los treinta y tantos años ya te quieres casar, tener esposa, no puedes seguir trabajando en algo que no te dé servicio médico, etcétera.

*¿Perdieron lo romántico?*
Como gay yo no tengo esposa, no tengo hijos y sigo en mi comodidad, pero todos los demás se fueron casando, empezaron a tomar trabajos formales donde hubiera un salario y prestaciones, como ocurre desde el punto de vista del desarrollo lógico de la vida de los seres humanos. Porque antes todo era romanticismo y no nos importaba el dinero, y pasábamos hambres y no había bronca. Pero cuando tienes

esposa e hijos tu familia no puede pasar hambre. El otro asunto fue la lucha contra el sida, porque nos dedicamos a eso y mucha gente ya no vio lo artístico; ya no estábamos en las galerías, en los concursos, sino trabajando directamente para el pueblo. A muchos de los integrantes eso ya no les pareció bien o pensaban que yo los estaba llevando mucho a esa temática. Y en un momento del año 2000 me iba a ausentar porque me fui a hacer mi doctorado a la Universidad Politécnica de Valencia. Entonces les dije: «Miren, chicos, yo creo que ya no hay mucho que hacer, se nos fue fulanito, perenganito, ya no me encuentro acá, y ustedes no están muy de acuerdo con el giro que ha tomado el Taller». El único problema que teníamos, y por el que nos tuvimos que deshacer formalmente, es que la obra era colectiva, era de todos. ¿Quién chingaos se va a chingar la obra? Nadie. Hicimos el convenio de separación y quedamos que la obra se iba a donar a instituciones públicas y que me iba a hacer cargo porque yo era el coordinador y estaba dando clases en San Carlos, donde estaban los cuadros y todo, y además tenía la bodega, tengo la bodega. También había otro problema, que era mío; hay un grave problema con nosotros los jotos: yo nunca he negado la cruz de mi parroquia porque estuve en los primeros movimientos gays y milité y todo, pero siempre mantenía equilibrado el Taller, que no se fuera mucho a lo gay, que tuviera otras cosas porque no todos los integrantes eran gays. Había de todo, desde homofóbicos que se aguantaban un poco, hasta bicicletos. Pero los gay éramos poquitos y estábamos un poco al margen. Y yo, a partir de la lucha contra el sida y demás, empezaba a añorar la militancia en el movimiento gay, empezaba a querer retomar eso.

*Pero de alguna forma estabas colaborando con el movimiento gay.*

Sí, pero la lucha contra el sida no era nada más para los gays, era para mujeres, niños. Yo quería más, lo mío, mi gente, y me dije: «Mira, Antonio, a lo mejor es menester que regreses a tu gente; obviamente vas a hacer más obra gay». El primer libro es sobre el Taller Documentación Visual; el segundo es *Ecce Homo*, que es gay al cien por ciento, el tercer libro (*Álbum de familia*) es súper gay, y lo que estoy haciendo ahorita es la historia del movimiento gay en el siglo xx. En este último me metí hasta las chanclas porque era lo que me animaba. Entonces, mientras que yo quería más putería, valga la palabra, los otros miembros del Taller se casaban, querían un salario más digno y ya no estaban tan convencidos de estar en la lucha contra el sida. Porque también el problema de la lucha contra el sida es que hubo una etapa heroica, cuando nadie te permitía nada; a finales de los 90 como que ya se había apaciguado el asunto, ya el gobierno hablaba, se atendía mejor a la gente, como que no era tan difícil como al principio.

*Ustedes estuvieron en esa parte heroica, ¿cuál fue el primer cartel que hicieron?*

Híjole, nosotros agarramos la militancia ya en serio a partir de los 90, sobre todo por un hecho personal: murió mi pareja, Jesús Garibay Mendoza; murió en 1992.

*Eso quería preguntarte, la cuestión personal porque supongo que el sida les impactó en el ámbito más cercano.*

A mí me destrozó la vida. Murió Jesús y yo estuve seis años en la negación, en la nada, tuve que ir a psicoanálisis, pasé mucho tiempo en psicoanálisis, y después de eso afloró lo que tenía que aflorar. Porque aunque seas loca, te la das de machín: «Se murió Jesús, ok, todos nos vamos a morir, qué malo que ocurra esto, pero a lo mejor yo me muero de cáncer, no pasa nada...». Llevé muy bien la situación, me llevaba muy bien con la familia y lo viví como si no pasara nada. Era una completa negación, estuve mucho tiempo así hasta que una noche estallé, me convertí en un loco y me cayeron todos los veintes. Esa es otra historia.

*¿La producción artística relacionada con la lucha contra el sida te sirvió de catarsis, para paliar esa situación que te tocó tan cerca?*
En parte sí.

*¿Para decir «Estoy haciendo algo» y canalizar por ahí ese dolor?*
Visto en perspectiva, sí. Estuve, después de la muerte de Jesús, seis años intentándolo, como si yo estuviera enfermo, y cada cosa que hacía de la lucha contra el sida era como dedicársela... Es muy loco el asunto: como hubo una negación, yo no lo hacía muerto, lo hacía vivo aunque tengo sus cenizas y todo en la casa. De que estaba muerto estaba muerto, lo que pasa es que de repente las personas somos muy locas: yo tenía el estudio en la casa que, ahora me cae el veinte, no era el estudio sino el cuarto de Jesús; nadie entraba, ahí estaban sus cenizas, nadie lo usaba.

*Era como un mausoleo.*
Casi, casi. En segundo lugar, los primeros días después de su fallecimiento yo llegaba y platicaba con él. Yo me enfermé también, estaba medio loco. Después de eso, todo era como hacerle homenajes.

*No lo soltabas.*

¡No lo soltaba! Hacía un cartel y le ponía «*In memoriam* Jesús Garibay» (el libro del TDV abre con tres imágenes de Jesús joven). Y pensaba: «Creo que le va a gustar mucho; híjole, yo creo que va a estar súper orgulloso». «Oye, maestro, ¡está muerto!». Como además soy ateo y tampoco creo en fantasmas, pues, ¿cómo te pones así? No me preguntes, así estaba mi cabecita de loca, así funcionaban las cosas.

*Bueno, finalmente por esta «enfermedad» tuya de retenerlo, ayudaste, porque creo que toda esta difusión con los carteles, además presentada de una manera impactante y artística, debió haber salvado a muchos de infectarse.*

Yo creo que el asunto me llegó por tres lados: primero por ser gay, después por mi caso personal y finalmente por el compromiso social que tenía con la creación artística. Es decir: ni para dónde hacerte, lo asumías o lo asumías o lo asumías. Y yo lo asumí. Probablemente cuando el sida estuvo más controlado fue cuando ya decidí: «Me quiero dedicar a mi gente, a los gays».

*¿Y te metiste a una ONG?*

No. Terminamos el Taller Documentación Visual y yo me enfoqué a sacar fotografías para tratar de testimoniar, ir a las marchas (del Orgullo Homosexual), y empecé a difundir el material, primero muy tibiamente, después mucho más. Y el último libro que estoy haciendo es sobre la historia del movimiento gay. Incluso el loco de yo se ha planteado que sean seis volúmenes; llevo el primero, no sé si me dará la vida para terminarlos porque es la historia del movimiento en el mundo. Todo se lo dedico a Jesús. El primero es de 1900 a 1919, y el proyecto debe terminar con el año 2013. Pensando al principio en el ámbito nacional dije: «Es chiquito, rápido te lo chingas», pero lo nacional no lo entiendes sin lo internacional. Y lo internacional no lo entiendes sin la lucha de las feministas por el voto y demás cosas. Y sigo trabajando con los chicos, como director de orquesta (señala a los alumnos absortos en las computadoras de su taller). En la historia tenemos a Los 41 (de la famosa redada en un baile de «maricones», en 1901), está también (el poeta homosexual) Elías Nandino, Zapata, que tenía que ver con Ignacio de la Torre (yerno de Porfirio Díaz, que según los rumores de la época estuvo en el Baile de los 41); luego Manuel Palafox que era su brazo derecho, descubre que es puto y casi lo manda a fusilar; las cárceles y la cuestión gay, los artistas como (Joaquín) Sorolla, que tenía un hijo gay; Henry Scott Tuke (pintor inglés de desnudos con jóvenes en contextos naturales)... Le puse *Querido diario queer* porque hay un pequeño problema: originalmente era la historia del movimiento LGBT, pero Henry Scot Tuke estaba casado, tenía hijos y no se le supo nada, pero si ves su pintura resulta que es más «amiga» que yo, más «obvia» que yo. Y bueno, también abordo a Freud, Nishinski, las lesbianas, los deportes, la amistad entre los hombres, poesía, Virginia Woolf, los escándalos. Quiero publicarlo en enero o febrero (de 2015). Es de autopublicación porque, por fortuna, como estoy trabajando y tengo muy buen sueldo y no tengo hijos ni esposa, ni más obligación que yo mismo, todo lo dedico a este tipo de cosas, a mi comunidad, a mi gente, a dejar algo.

*Volviendo al Taller, me llama la atención que no participaban mujeres.*

Teníamos veintitantos años, la mayoría eran heterosexuales, gays éramos tres, bisexuales te puedo hablar de dos o tres, pero manteníamos muy reservada y respetada la vida privada de cada uno, había cosas que no preguntabas. Si te digo que había homofóbicos es porque de repente escuchabas frases como «¡no mames, que no me venga a mí con esas pendejadas de maricones!». Pero nos respetábamos, sabían que yo era gay y no hubo problema alguno. Pero con las mujeres que llegaban, las chicas, los otros que tenían 20 años terminaban de novios y de repente tenía que ser el malo de la película y decir: «Aquí vienes a trabajar, si quieres a la novia te citas con ella después, fuera de aquí». Hubo varios intentos, varias chicas que pasaron por el Taller y los otros andaban ¡que bueno...! Y te voy a decir algo, Marco Aulio Prado, que fue uno de los primeros en incorporarse, sacó a su esposa del Taller Documentación Visual, porque llevaba clases conmigo en el CEDART y un día me vino a ver a San Carlos, conoció a Marco, terminaron casados, con hijos y ahí siguen. Así que no estaba viendo moros con trinchetes, de que se les calentaba el agua se les calentaba el agua.

*Su trabajo tenía que ver con una temática social propia de su tiempo. De existir el Taller ahora, ¿qué temas abordaría? Vivimos una situación muy convulsa. No sé si también se enfocarían hoy a la lucha contra el sida, porque hay más campañas, una clínica especializada (Condesa, en la Ciudad de México) y los CAPASITS (a nivel federal).*

La verdad, y quiero ser honesto, creo que las artes plásticas ya no tienen sentido de existencia. Esta escuela y la universidad, y lo digo claramente, creo que no se han puesto al día y que seguimos dando clases para una visión de pintores y de escultores que ya no tienen sentido en nuestro momento histórico. Si siguiera el Taller Documentación Visual, primero tendríamos que haber hecho una revolución interna, ver cómo le íbamos a entrar a lo digital y meternos de lleno en eso.

*Eso en lo formal, pero ¿en lo conceptual?*
En la temática habría que ver, porque otro problema es que el mundo dio un giro y se nos cayó el muro de Berlín, y entonces, aunque hay un matiz en el tema, se concentraba en el pinche capitalista de mierda, asqueroso, burgués, hijo de puta explotador y demás... Lo mismo pasó con la China comunista, amigo, ¿qué está ocurriendo con Cuba? Ayer oí en las noticas que los países exitosos son los que tienen algo de capitalismo y algo de socialismo, son los que les dan derechos a los trabajadores, como Estados Unidos, que a sus trabajadores los trata súper bien, nada que ver con México, donde supuestamente somos revolucionarios... Entonces se nos cayó el muro, el discurso y todo. Además, el problema del VIH/sida también vivió un cambio porque ahorita con una pastillita ya chingaste, güey. Ve la pornografía, ya la gente está eyaculando en el otro y les vale madre. Yo creo que el tiempo nos rebasó, ya estamos para dejarle la estafeta a otros talleres, a otros artistas que vengan a contar su historia. Nosotros contamos la historia de los últimos 20 años del siglo pasado, punto. En el siglo XXI me siento extraño, manejo internet para escribir una carta...

*Pero usas Photoshop, ¿no?*
Sí, pero tiene 50 herramientas y yo uso tres, aunque con ellas me valgo, son suficientes. La gran ventaja, por la que

yo puedo seguir haciendo esto es que mira, voltea (señala a sus alumnos), son puros chavitos, tienen veintitantos años, ellos sí le saben bien al programa. Yo dirijo pero ¡seguimos siendo pendejos!

*Pero no mediocres.*
No, eso sí creo que ya no.

*Desde entonces hacían materiales con una buena propuesta estética y una efectividad comunicativa.*
Lo intentábamos.

*¿Cómo ves la presencia de las campañas hoy?*
Ya no existen. El problema en México es que empezaron muy timoratas, con frases como «ponle el guante al gato», y no es lo mismo decir «ponte un condón», que «ponle un guante al gato», y «gato que quién sabe que, no agarra infecciones». *Excuse me?* Nada que ver con los carteles alemanes, europeos, donde aparece el cabrón con la verga parada, poniéndose su condón y diciendo: «Maestro, cuídate», lo que además es cachondo, rico. Una práctica que tuvimos nosotros fue que involucramos a los alumnos de aquí en la lucha contra el sida. Como el maestro de diseño, Miguel Ángel Aguilera, que les pedía trabajos, le propuse que les pidiera trabajos sobre la lucha contra el sida para que los publicáramos en *Sociedad y sida* (antecedente del suplemento *Letra S*), que no tenía material gráfico sobre el tema, y así nos apoyamos. Los alumnos empezaron a producir este tipo de trabajos y yo se los pasaba a Francisco Galván, en aquel entonces, o a otros periódicos para que ilustraran y demás. Híjole, es que siguen nomás con el condoncito y...

*Hace falta que sean más dirigidas a públicos específicos, ¿no?*

Lo que yo le digo a los chicos es que si no han usado un condón, no saben de campañas. Te juro que cogen porque cogen, pero no usan condón, así que si les pido una campaña del uso del condón, no saben ni qué. Se ponen a repetir lo que ya han visto y demás. Empezó a irse para abajo, vivimos la hecatombe, nosotros tomamos consciencia pero a las nuevas generaciones les vale un pito, porque ya no te mueres como antes. La gente dice: «Es como tener hepatitis». El problema es que esto va para arriba.

*¿Hubo censura de la Iglesia o de tipo político contra las campañas en las que ayudaban? ¿Cómo la vivió el colectivo?*

La Iglesia nos tenía un poco sin cuidado, y sí se encabronaba.

*¿Y no sentían presión, amenazas, advertencias?*

La presión la sentíamos aquí, en la escuela. Por ejemplo con los carteles, aunque lo bueno de la mediocridad es que, como a nadie le interesa nada más que resolver su sueldo, yo iba con el impresor y le decía: «Imprímeme esto», y lo hacía. Luego le pedía: «No comentes nada porque todavía voy a ver qué rollo». Por ejemplo, el cartel donde el chavo se está masturbando, el del cuadro *El Chaqueto*, de cómo te la juegas con la mano, el condón o la muerte. Cuando estaban impresos los carteles me los traía a mi taller porque decía: «A mí no me secuestran esto». Entonces un día fui con el coordinador de aquí y le dije: «Mira, tenemos este cartel». «¡Ay, qué padre!», pero nunca se tomó la molestia de ver que tenía los créditos de la Universidad. Pegamos los carteles por todos lados, en escuelas, en Xochimilco y a los 15 días me habla el director, Juan Antonio Madrid, a mi casa: «Antonio, ¿dónde has puesto esos carteles? ¡Cómo es posible! ». Y yo: «Maestro, están en la escuela desde hace tres semanas». «Es que no los había visto». Imagínate, venía todos los días a su oficina en la dirección y no había visto que estaban en la Biblioteca y otros lugares. «Es que no puedes poner los créditos de la UNAM, Antonio, tienes que quitarlos». Nos dimos un agarrón y al final dije «ok, perfecto». Pero como soy un hijo de la chingada, llegué temprano a la escuela, agarré unos cuantos carteles y mandé que los guillotinaran, luego fui con el director y le dije «Mire, ya están guillotinados». Pero seguí poniendo los que tenían los créditos de la UNAM. Luego me enteré de las broncas gravísimas que causó ese cartel de *El Chaqueto*: un pleito entre padre e hijo cabrón, por ejemplo. Porque al hijo le gustó el cartel, lo puso en su recámara, llegó el padre, lo vio, lo rompió y le dijo al hijo que ¿qué pedo? Y el hijo le respondió que era su cuarto, que era muy su vida, que no se tenía que meter. Dramas así ocasionamos. Me enteré de este caso porque el hijo vino y me pidió otro cartel para volverlo a poner en su cuarto. Y también venían de otras partes, porque sabían que aquí teníamos carteles; por ejemplo, una vez vinieron de la Universidad Femenina de Puebla, y yo feliz de la vida. Así que había cosas muy muy malas, pero también cosas muy muy buenas.

*¿Cómo era el proceso de colaboración, una ONG les pedía el cartel o alguna dependencia oficial?*
En la lucha contra el sida, las ONGs no tenían un solo quinto, venían a ver que podían sacar. Por fortuna, como siempre he hecho, con mi salario pagábamos carteles y

demás, y esta escuela me ayudó como nunca, porque yo lo ponía como mi trabajo profesional, como artista, y me imprimían los carteles y no me cobraban. Yo nada más pagaba el papel. También me ayudaban con transporte de obra. La tirada era que (los activistas) venían a ver qué encontraban de apoyo y hacíamos pequeños convenios. Por ejemplo, un amigo, Vallejo, que estaba en Estados Unidos me conseguía un convenio con el American Latin no sé qué y ellos pagaban la producción y yo les mandaba los carteles, de esta forma se ahorraban el diseño, la foto y les salía muy barato. De repente, si no tenían un solo quinto les prestábamos nuestras fotos para que las colgaran, y si tenían dinero les decía: «Pon el papel y aquí se imprime». Los carteles para el famoso concierto de Margie Bermejo y demás (Eugenia León, Betsy Pecanins y Tania Libertad) en el Auditorio Nacional (el primero organizado en 1988 para recaudar fondos para la lucha contra el sida), se imprimieron aquí. Yo le dije al periodista y activista Braulio Peralta: «Te presento al director y aquí te sale gratis». «Pues, órale, manito», me dijo.

*¿Cómo se generaron esos carteles con una imagen tan emblemática de la lucha contra el sida como Jesús y el diablo (donde Antonio aparece, con los cuernos, cola y pezuña de Lucifer, sobre una sábana blanca abrazando el cuerpo deteriorado de Jesús Garibay)?*

Jesús se estaba muriendo (a causa del sida) y de repente no sé cómo, me puse a pensar «¿Cómo puedo retener ese momento? ¡Pendejo, eres fotógrafo, agarra y sácale fotos!». Hablé con Jesús y le dije que quería hacer una sesión de fotos, y luego le pedí a Gustavo Guevara (miembro del TDV) que me ayudara con la sesión en mi casa. El asunto es así:

mi pareja se está muriendo, y llegó él y nos tomó fotos. Apenas estábamos incursionando en lo de la fotografía, así que las fotos salieron medio medio, no me gustaron. Como Jesús murió poco tiempo después, no había chance de repetirlas y le dije a Rubén Gómez Tagle (también del TDV) retócale con el aerógrafo, ponle algo de más a la foto.

*¿De quién fue la idea de ponerte los cuernos, la cola y la pezuña de diablo?*

De Rubén, porque me dijo: «Híjole, mano, aquí pareces el diablo». Y yo le contesté: «Híjole, ponme como el diablo, sin problema». Como había respeto, se aventó a ponerme como el diablo, con la cola y lo demás, y yo nada más le decía: «Aquí hazle un poquito más o un poquito menos», pero la idea fue de él.

*¡Y con aerógrafo, nada de retoque digital!*

No, nada, eso fue en los 90. Fue su idea, yo nada más le presenté el material para que lo mejorara, estaba muy contrastado, no había luz, además Jesús estaba que ni lo podías mover, carajo; el asunto era súper complicado.

*Y resultó una imagen icónica de esa época.*

Totalmente de acuerdo. La mayoría de la gente que ve nuestro trabajo en la lucha contra el sida, inmediatamente se refiere a Jesús y el Diablo. Jesús se llamaba de esa forma, así que no había problema, y yo no me llamo El Diablo, pero soy un hijo de puta y quedó bien el asunto.

*Había también un poco de humor en el trabajo del Taller al usar frases como «De tu arte a mi arte» o «El Santo Señor del Sidario».*

*También se divertían un poco aunque los tocaba la tragedia del sida, ¿no?*

Como decía la canción mexicana: preferible reírse que llorar. Nos reíamos porque no había de otra, era nuestra válvula de escape, y lo que pasa es que aquí echábamos chistes con «El Cuate» y todo. Echábamos mucho relajo, éramos jóvenes. Ahorita, ¿qué relajo echas? En esa época trabajábamos con música y nos venían a decir: «Ya bájale a la de Juan Gabriel, es la tercera vez que la pones».

*¿Y además se echaban sus chelas?*

No, sobre todo porque a mí no se me da eso, pero después de cada exposición sí se organizaban unas bacanales que para qué te platico.

*Donaron el archivo aquí a la* ENAP *en 2004, ¿qué tal se ha explotado y aprovechado?*

Nada. También tienen el Archivo de Melquiades Herrera (pionero del performance en México) y lo tienen echándose a perder. A esta escuela llegó también el archivo del maestro Juan Acha, estuvo cuatro o cinco años y la viuda lo tuvo que retirar de la donación para dárselo al Centro Cultural Tlatelolco, que sí lo catalogó.

*Entonces está desaprovechado el archivo del* TDV.

Totalmente. ¿Quién crees que es el único que lo consulta?

*Tú, pero no creo que seas envidioso y lo quieras nada más para ti.*

Yo se los di acomodadito por año y demás; ahí lo tienen botado, porque además aquí nadie hace investigación porque, seamos honestos, hacen investigación de artistas extranjeros, de lo que pasa en Nueva York o París, pero lo que sucede en México los tiene sin cuidado. Además, cualquier mexicano que descubren es competencia para ellos.

*¿Por lo menos el archivo está bien guardado?*
Está bajo tres llaves.

*¿Tú tienes una de ellas?*
No, para nada. El archivo está en unas cuatro cajas y está muy bien.

*¿Esa obra colectiva la ves vigente?*
No, es historia.

*Está rebasada, entonces.*
A ver: yo creo que en el momento en que apareció la computadora y lo digital, hubo un corte, y ese corte es antes de y después de, y como ves, todo mundo va a lo digital. Kodak tronó ya, ¡no hay papeles fotográficos ya!

*Pero ustedes sin computadora hacían lo que hoy se puede hacer con computadora: manipulaban imágenes, hacían collages.*
La necesidad es madre de la inventiva. Digamos que fue una etapa heroica.

*¿Crees que ante la situación que vive México los artistas tienen algo que decir o deberían aprovechar su arte como lo hicieron ustedes para denunciar o combatir algo?*
Yo creo que sí, aunque ya no estoy tan seguro. Antes creía en el arte militante y que el arte debía... Cuando era joven, yo tenía mis certezas muy claras, conforme ha pasado el

tiempo, híjole, todo ya lo pongo en perspectiva, todo ya se me tambalea, porque quién iba a pensar en la caída del sistema soviético. Claro, estoy feliz de la vida, yo pensé: «Cuando caiga eso habrá ríos de sangre». Pero no, maestro, cayó y fueron como revoluciones de terciopelo. Bendito sea Dios que cayó así el comunismo, sin tanta sangre, esperemos que pase lo mismo en Cuba y en otros lados, pero no sé, estoy más lleno de dudas, soy más abierto a las posibilidades y creo que hay cambios generales y que a la gente, actualmente, no le interesa el activismo político. Y no les interesa por buenas razones... Maestro, discúlpame, yo viví el PRI, el 68, era un pinche escuincle que salía de la primaria e iba a la secundaria; yo viví las devaluaciones de José López Portillo, el temblor del 85. A lo mejor soy muy reaccionario, pero cuando se quejan de México hoy en día les digo «No, cabrón, estás pendejo, no sabes lo que era México, el presidente ponía y quitaba gente, no había Comisión de Derechos Humanos, no había Conapred, no había nada, maestro». ¿Y el *bullying* para qué te sirvió? A mí, para ser mañoso, saber cómo manejarme, hacerme amiguito del más agresivo; me enseñó a moverme en esa situación porque no había de otra, había que sobrevivir. Ahora hay *bullying* y «¡mamá, me pegó tal...!». Va la mamá, se pone como camote a la directora, a la maestra la corren, hacen un desmadre, te indemnizan. Antes te pegaban y «pues defiéndase, no sea marica, ¿qué no tiene manos? Órale, maestro». Te metían a los chingadazos, y así sobreviví. Claro, el mundo es más cómodo ahora, es mucho mejor, es más *light* y a lo mejor ya no es tan necesaria la protesta como en aquellas épocas en que veías un policía y te escondías más de él que del ladrón. A mí me daba más miedo el policía, eran épocas negras, ahora ya no.

*¿Qué te dejó como artista ser el coordinador, el motivador del Taller?*

Una gran satisfacción del deber cumplido. Mi padre decía: «Hijo, espero que no seas como el marrano que se va adonde le avientan la mazorca». Y yo lo tenía muy claro desde joven, si vine al mundo fue para cambiarlo porque no me gusta el mundo, se me hace horrible, asqueroso, aparte que fui gay y sufrí *bullying*. Mi objetivo en la vida era cambiar el mundo. Lo que pasa es que logramos cambiarlo tanto que estoy sorprendido. ¿Tú crees que yo, en los años 80, iba a pensar en los matrimonios gays? ¿Tú crees que iba a pensar que en la Constitución mexicana se incluiría la no discriminación por orientación sexual? ¡Jamás, ni con LSD se me hubiera dado un pinche sueño así!

*¿Reconoces que participaste en este cambio?*

Discúlpame, ahí sí me veo mamón y lo que tú quieras, pero yo creo que soy una pequeña gotita del cambio; pequeña pequeña, pero soy parte del cambio. Todo lo que hicimos en el Taller, todo lo que hice en mi militancia, yo creo que ha ayudado un poquito al cambio. Tan es así que, por ejemplo, en esta escuela pues yo era gay pero calladito porque te ves más bonito, y ahora la gente lo sabe, lo digo y no pasa nada. Seguramente me odian, me detestan y piensan: «¡Pinche puto, maricón!», pero nadie me ha faltado al respeto, ni alumnos ni compañeros ni trabajadores, nadie. Y yo creo que eso es una gran ventaja. Claro, a lo mejor exagero porque estamos en el terreno del arte que está lleno de putos.

*Y en la Ciudad de México.*

También es cierto, tienes toda la razón, pero yo creo que fui parte, o déjame tener este sueño guajiro de que fui parte del cambio, para morirme en paz.

## Aletze Sebastian Estrada
### Me gustaría tener un pene

«¡Qué buena barba! ¡Y cuánto pelo en pecho!», pienso cuando Aletze Sebastian aparece abriendo la puerta de su casa, a la que llego después de caminar desde el metro La Raza por las calles de su colonia, Defensores de la República, donde abundan los talleres y negocios de refacciones automotrices.

Esta calurosa mañana de inicios de octubre, Prince —como ha aprendido a llamarlo su madre— viste una camiseta blanca holgada que, además del pecho, deja ver unos brazos tonificados, y lleva unas bermudas negras con las que es inevitable contemplar sus pantorrillas cubiertas de vello castaño oscuro mientras, adelante de mí, sube las escaleras que arrancan en el garaje rumbo al nivel donde está su habitación. Dada su distribución, la morada familiar parece una vecindad con un patio central rodeado de corredores.

La recámara de Aletze está junto a una terraza cubierta que da a la calle, y es independiente de las demás estancias. Hasta hace poco, el chico compartía este espacio con su hermana Jessica, un año menor, quien meses atrás se fue a vivir con su novio porque está embarazada de una niña. Fue ella quien decoró una de las paredes con gaviotas y pintó de morado el muro en el que está la cabecera con espejo de la cama matrimonial de Aletze, cubierta con una varonil colcha de franjas negras y grises, sobre la que nos sentaremos para hacer la entrevista.

«Voy a tener que darle una repintada; ahorita siento que éste no es mi cuarto más que para dormir porque mi hermana siempre fue de lilas y rositas, a ella le gustaban las cosas de niña y a mí las cosas de niño, así nada más», aclara el joven de 24 años.

Suyos son un kendo de madera y una catana que están recargados dentro de sus fundas en la pared de las gaviotas; las armas tradicionales son muy similares a la que empuña el samuray que tiene tatuado, frente a un gran sol rojo y un cerezo, en la cara interior del antebrazo derecho. «Me gusta mucho Japón», dice y agrega que es fan del anime *yuri*, de tipo lésbico, gracias al cual conoció en un foro de discusión por internet a su primera novia, D'Angelys, que vivía en Venezuela. «Duramos muy poquito por la distancia, y nada más nos mandábamos fotos por *messenger*».

Su interés por el país oriental le procuró otra novia, Diana Carreón Morales, a quien conoció en las clases de japonés que tomaba cuando iba en preparatoria. La estudiante de psicología sigue muy presente, a pesar de su ruptura hace un año, ya que aparece muy guapa al lado de un gallardo Aletze, en un portarretratos sobre el librero cercano a su cama. «La foto nos la tomaron en la boda de mi primo Alejandro, que fue la primera fiesta familiar a la que fui como hombre».

Aletze Tatiana Estrada de la Rosa nació con un cuerpo de mujer el 16 de noviembre de 1992, en la Ciudad de México. Su novia Diana fue quien le hizo ver que no era lesbiana sino un chico transgénero, y luego lo acompañó a la Clínica Condesa de la Ciudad de México para empezar, en 2012, su proceso de transición con un tratamiento hormonal a base de testosterona, gracias al cual ahora tiene la apariencia de un muchacho, y un muchacho realmente guapo.

En la «transición» de segundo a tercero de prepa, Diana asistió a una plática sobre bisexualidad y transexualidad en la Semana de la Sexualidad de la UNAM. Le interesaba el tema porque «en ese tiempo ella se decía bisexual».

*¿Por eso estaba contigo, porque entonces todavía tenías una apariencia femenina?*
Más bien andrógina.

*Bueno, pero entonces te asumías como mujer, ¿no?*
Sí. Al fin y al cabo nuestra relación era de dos chicas lesbianas. Y en esa plática, cuando tocaron la parte de transexualidad, varios aspectos le sonaron a Diana parecidos a mí. Así que llegó y me dijo: «Estuve en esta plática y te voy a pasar un videíto; velo y me dices qué te parece». El video era un fragmento del documental *Call me Malcolm*, de un hombre trans que hablaba de la parte psicológica de su proceso de transición. Me acordé que lo había visto en mi niñez, en la televisión, y me había llamado la atención, porque siempre me ha llamado la atención tener un cuerpo

de hombre, aunque no sabía cómo ponerlo en palabras. Y cuando Diana me pasó el video, me acordé y dije: «Claro, este hombre me encanta, está increíble su cuerpo, qué agallas, a mí me gustaría también... ¡Yo quiero!».

*¿Así de resuelto?*

Sí. Y Diana me dijo: «Eso está increíble pero una lesbiana no querría tener el cuerpo de un hombre». Y entonces empezamos a platicar sobre el tema. Obviamente yo ya había escuchado el término transexualidad, pero no estaba todavía como muy consciente de en qué momento alguien es transexual. Cuando me enteré que existía la palabra tenía como 10 años y para mí eran las personas que ya se habían hecho algún tipo de modificación quirúrgica. Dije: «No, pues ¿yo cuándo? (risa), yo sigo teniendo todo de mujer, obviamente no soy transexual». Pero a partir de ese video empecé a investigar, ya había un poquito más de información que cuando yo tenía 10 años.

*Y estaba internet y supongo que encontraste el término transgénero.*

Exacto. De hecho fue muy rápido, durante la misma conversación con Diana, que tuvimos por *messenger*. «Ah, sí, entonces soy *trans*». Realmente no me costó asumirlo, sino que más bien me sentí aliviado de ya poderle dar un nombre a lo que sentía. Y Diana me investigó dónde se podrían hacer este tipo de cambios hormonales, porque yo le dije: «La verdad, necesito tomar testosterona, pero en internet he visto que es caro el tratamiento».

*Y aparte no es como echarte un licuado, se requiere supervisión médica.*

Sí, claro. Entonces Diana ya me investigó y me dijo: «Pues existe esta clínica que está en la Condesa, igual podemos ir a darnos una vuelta». También preguntó cómo llegar y me acompañó a mi primera cita, que fue para apuntarme; luego me acompañó a la segunda cita para sacar lo que ahora se llama salud mental, que es una evaluación con el psicólogo, y me acompañó como dos citas más, ya directamente con el endocrinólogo. Ella estuvo muy al pendiente de todo eso.

*¡Qué maravilla de mujer, realmente te quería mucho!*
Sí, me quería muchísimo, y la verdad es que le agradezco todo lo que me apoyó en mi proceso de transición.

*¿Y por qué la dejaste, malvado?*
No, es que en la vida pasan muchas cosas.

*¡Sí, cómo no! Finalmente los hombres son muy malos.*
(Risas) Estuvimos juntos un poquito más de cinco años. Y fue por otras cuestiones, pero al principio pensé que tendría que ver con el hecho de que yo fuera *trans*, porque ella me dijo que era una chica a la que no le gustan los penes (risas). «Congruencia, mujer», le respondí. «¿Eres bisexual o no?».

*Claro, entonces era lesbiana.*
Sí, exactamente (risas). Al fin y al cabo yo ya había tenido una novia antes, en la secundaria, D'Angelys, que me había dicho: «Es que cada vez te pareces más a un chico, y yo soy lesbiana; la verdad es que así cada vez me gustas menos». Cuando la conocí, yo incluso llevaba el cabello corto y mi vestimenta y todo ya era de un chico. Y le conté sobre esto a Diana.

*¿Por eso terminaron su noviazgo?*

No. Ya cuando empecé con la transición, le comenté: «Es que a mí sí me gustaría tener un pene; obviamente no me va a crecer uno, pero están las prótesis y quiero usar una» (risas). Y Diana me contestó «Está bien, ponte la prótesis, pero la verdad es que yo no sé si pueda usarla contigo».

*¿Se refería a usarla en una relación sexual?*

Exacto. Entonces tuvimos algunas discusiones al respecto y en algún momento me llamó egoísta, y yo le dije: «Es que tú empezaste con esto, ¿cómo quieres, de repente, que aquí ya lo deje? No, voy a seguir hasta que me sienta completo y contento conmigo».

*¿Eso fue cuando ya estabas con el tratamiento hormonal en la Clínica Condesa?*

Sí, ya llevaba algunos meses con las hormonas, y Diana me aclaró: «Es que físicamente sí me gustas, lo único que no me gusta es un pene» (risas).

*¿Que tú te pusieras una prótesis?*

Ajá. Y le dije: «Ok, va, no vamos a usarla, pero sí la voy a usar para mí, sí la voy a traer puesta». Y me contestó: «Muy bien, con eso no tengo ningún problema, simplemente en la parte sexual me incomoda, no me gustan los penes, punto».

*¿Quieres decir que llevas entre las piernas algo sujeto que es como un pene, que no es precisamente un dildo para la penetración sexual?*

Ajá, te voy a enseñar...

Aletze se levanta y por una puerta junto a su cama entra a una especie de clóset vestidor. Después de algunos segundos en los que se oye el ruido de cajones que se abren y cierra, regresa con una caja de cartón un poco mayor a los empaques comerciales de té. La abre y blande con desparpajo un pene de látex color café, flácido y con testículos. «No todas las prótesis son como un dildo para la penetración sexual», me ilustra con la naturalidad de un experto, «ésta es nada más una prótesis de paquete, es como un pene en reposo y se coloca con un arnés; hay diferentes tipos, unos más detallados que otros, depende del precio».

*Entonces te la colocas con un arnés y luego encima...*
Un bóxer.

*¿Y sueles llevar la prótesis comúnmente?*
Ahorita no porque no tengo arnés, pero mucho tiempo las estuve utilizando.

*Y es con lo que a Diana no le gustaba verte.*
Más que verme, no le gustaba que yo lo utilizara para la parte sexual. Que lo llevara nada más así le daba igual, incluso hacía bromas de «ah, te lo voy a quitar, ja, ja», porque al fin y al cabo se pone y se quita. Pero, no le gustó la idea de que me comprara una prótesis para que tuviéramos relaciones sexuales. A partir de varias pláticas, llegamos al acuerdo de que yo seguiría con mi transición y que me compraría todas las prótesis que quisiera mientras no las usara con ella. Siempre fue muy comprensiva, incluso me ayudó a que en su familia me empezaran a tratar de «él». Porque la relación la empezamos como dos mujeres y ya en mi transición, obviamente, no me podían seguir hablando en femenino, así que Diana les explicó «Aletz va a empezar un

tratamiento y se siente así y así, por lo que me gustaría que todos lo traten de él».

*¿Y la familia lo tomó bien?*
Incluso mejor que la mía (risas). La siguiente vez que me presenté en su casa —porque nos quedábamos muy seguido uno en casa del otro—, todos ya me trataron de él, y si por casualidad se les resbalaba algún adjetivo femenino, inmediatamente lo corregían. Más bien el problema fue con mi familia, y hasta la fecha mi papá no me habla en masculino; bueno, me dice sin querer «hijo», por cómo me veo. Pero como nací medio güero y me decían Güera, él todavía me dice Güera, a diferencia de mi mamá que antes me decía Princess y ahora me dice Prince o Güerejo. La psicóloga me comentó que yo debía tener el valor de decirles: «Ustedes me tienen que empezar a decir de él, porque no están perdiendo una hija, tienen un hijo, así que trátenme como tal». Con mi mamá me ayudó una prima, que le dijo: «Aquí tienes un cabrón, míralo, ¿cómo le vas a andar diciendo en la calle "Mi Princesa"? Van a pensar "Esta señora está loca ¿o qué le pasa?"». Le costó trabajo, pero a mi mamá finalmente le cayó el 20 y eso me hizo feliz, porque sí viví una ruleta de emociones, me deprimí un poquito porque pensaba: «Cómo es posible que personas ajenas lo tomen mejor que mi propia familia». Y ya luego, si iba a una fiesta vestido de hombre, mi mamá me decía «¡Ah, qué guapo!». «Pues sí, mamá, obvio» (risas).

Un día, cuando tendría unos ocho años, Aletze iba con su madre en el automóvil y le preguntó qué nombre le habría gustado ponerle a su hermana Jessica, de haber resultado niño como los médicos le habían dicho, equivocadamente, al revisar uno de sus ultrasonidos. Ya sabía que al principio habían pensado en Diego, un nombre que finalmente se le quedó a un sobrino.

—Bueno, ¿qué otro nombre le habrías puesto? —insistió Aletze.

—Pues, el nombre del cangrejo de la Sirenita, Sebastián. Ese nombre me gusta —aseguró su madre.

—A mí también me gusta y el cangrejo me cae muy bien.

En junio de 2015, dos días antes de acudir al Registro Civil de la Ciudad de México a realizar el trámite de reasignación sexo-genérica en su acta de nacimiento, Aletze recordó, «de la nada, esta plática absurdilla» de la infancia, reconoció que Sebastián le gustaba y también podría gustarle a su madre, así que decidió renunciar a Kael, por el que pensaba sustituir el Tatiana que le había escogido su padre cuando nació, y llamarse Aletze Sebastian, sin tilde en la última sílaba, con acentuación grave.

«Cuando arranqué con mi tratamiento hormonal en 2012, fue cuando realmente empecé mi proceso de transición; el cambio de nombre fue más bien como reafirmarme, decir: "Aquí estoy. Sí, soy parte de la so-cie-dad. ¡Hola!"». Y a partir de recibir mi acta, que fue un proceso muy rápido, ya tuve un poquito más de confianza para desenvolverme en otros aspectos administrativos, como cambiar el CURP y los documentos escolares».

En 2011, gracias a su alto promedio final de preparatoria, 9.9, Aletze obtuvo una beca-préstamo del 80 % e ingresó al Tec de Monterrey, Campus Estado de México, a estudiar una carrera que se estaba inaugurando entonces: Ingeniería en Producción Musical Digital. No fue lo que esperaba y al concluir el primer semestre decidió cambiarse a Animación y Arte Digital, que después de cursar dos años tampoco le gustó del todo y optó por inscribirse en Comunicación y Medios Digitales, que antes se llamaba Ciencias de la Comunicación. Cuando ocurre la entrevista está cursando el octavo y penúltimo semestre, con abundantes nueves en la boleta de calificaciones.

Al ingresar a la universidad, Aletze ya había entendido que tenía un cerebro de hombre en un cuerpo de mujer. Por su corte de cabello, forma de vestir y conducirse, parecía más un «adolescentillo» que una chica, pero como aún no iniciaba su transición, no pudo más que llenar con su nombre y género legal los documentos de inscripción. Ahora que tiene su nueva acta de nacimiento, ha iniciado los trámites para que su título salga, en junio de 2017, con el nombre que decidió llevar y el género con el que se identifica. En este proceso ha contado con la orientación de un compañero trans mayor que él, Pablo, el primero en el Tec que emprendió, recientemente, el camino burocrático para hacerlo, que implica presentar copias certificadas del acta de nacimiento, CURP y los títulos de primaria, secundaria y preparatoria tanto con el nombre y género con el que fue registrado al nacer como con el reasignado legalmente.

«No soy muy dado a tratar con cuestiones administrativas, me aburre muchísimo y se me hace muy tedioso», me confiesa Aletze. «Pero hasta eso que no he tenido problemas en la Secretaría de Educación Pública, porque varias personas ya han acudido a cambiar el nombre de sus certificados».

Los trámites implican tiempo, pero no son tan caros: «En lo único que he gastado es en las copias, creo que 20 pesos por los certificados de primaria y 70 por los de secundaria; el caro es el de prepa, 850 pesos, que no he podido hacer porque no he juntado el dinero».

En sus inicios universitarios, cuando algún compañero se extrañaba al saber que su segundo nombre era Tatiana, Aletze prefería no complicarse y simplemente hablaba con la verdad: «Me lo puso mi papá». A lo que el curioso solía comentar «Sí, los papás y sus nombres raros».

Fueron sus condiscípulos de animación y arte digital quienes atestiguaron su transición con el tratamiento hormonal. «Ya en comunicación, muchos ni siquiera sabían que yo era transexual, y no tenían problema si se enteraban, porque me decían: "¡Ah, órale, nunca lo hubiera imaginado!". Y la verdad es que nunca me trataron mal y yo siempre he sido muy abierto al respecto. Si me dicen, "¿te puedo hacer una pregunta y no te molestas?", siempre respondo: "Ay, hazme las que quieras, sobre sexo o mi cuerpo, no me importa qué tan invasivas puedan ser"».

*¿Lo haces para normalizar esta realidad, para educar y ayudar a otros?*

Es que pienso que sí me siento bien respondiendo estas preguntas, prefiero hacerlo yo a que pudieran llegar con alguien más que se vaya a sentir incómodo. Pero les advierto «Esto me lo estás preguntando a mí y no hay problema, pero fíjate que no todas las personas son como yo».

*¿No has enfrentado algún tipo de rechazo más allá de tu papá, ni en la escuela, con los vecinos o la familia?*

No, para nada, creo que he tenido buena suerte. Sí, tengo el asunto de mi papá, que es de lo más cercano, pero echo mano de la familia y le digo: «Todos me aceptan, papá, menos tú».

*¿Y qué te responde?*
Nada, porque no sabe qué decir, siempre ha sido renuente a aceptar la realidad, aunque la tenga enfrente. Hemos tenido miles de discusiones al respecto porque él pensaba que nadie me iba a aceptar y no quería que me trataran mal en la familia, pero todos lo tomaron muy bien cuando se los conté por *inbox* y luego lo publiqué en Facebook. A veces se les va la onda y me tratan de mujer, pero es porque no nos vemos tan seguido. Y bueno, a mí también me costó trabajito cambiarme los adjetivos y pronombres a él. Yo creo que me tardé medio año en que me cambiara el *switch* por completo, quién sabe por qué (risas).

*¿De pronto te decías «ay, estás loca» en lugar de «estás loco»?*
Sí, exactamente. Y me reía. El primer año con las hormonas sí fue muy complicado por los cambios: la voz se me hizo más grave, perdí el periodo, con lo que mi vida fue más feliz, apareció el vello e incluso mi piel como que se hizo más gruesa. Pero como en la pubertad me salieran barritos, a partir del quinto o sexto mes sufrí una segunda pubertad y me empezaron a salir unos quistes en la barbilla y el cuello; eran bolas, como tumores, y el dermatólogo me recetó antibióticos en pastillas y cremas que me ponían la cara como si me hubieran hecho un *peeling*, me ardía muchísimo. Yo me sentía horrible, decía «Maldición, ¿sí tomé la decisión correcta?». Porque si tomaba las hormonas era para sentirme bien conmigo mismo, pero como estoy en este momento no me siento nada bien. Pero sólo fue momentáneo

y luego me alivané muchísimo cuando los antibióticos hicieron efecto. Además de los cambios físicos, empecé a tener otros mentales, que influyeron en los problemas de mi relación con Diana, porque me empecé a sentir atraído por una compañera del Tec. Diana siempre fue muy perceptiva, y se dio cuenta de que algo andaba medio extraño, que probablemente me gustaba alguien, y le dije: «Sí, me gusta una chava, no sé explicarte por qué, pero quiero ver qué sucede». Y pues, lamentablemente, la fuerza de voluntad flaqueó y le di un beso a esta chava.

*Te digo que los hombres son muy malos.*

Sí (risas). Pero inmediatamente se lo conté a Diana, ¡*ups*! Obviamente se puso muy triste, mi papá la vio llorar aquí porque estaba en mi casa. La psicóloga me ayudó a ver que esa falta de fuerza de voluntad podía haber sido en parte por los cambios que estaba teniendo con la testosterona, porque es una hormona que todos tenemos en el cuerpo y que suba o baje nos cambia todo, incluyendo la mente y los impulsos. Se lo expliqué a Diana y regresamos. Las cosas estuvieron bien por dos años, hasta que empezaron otros problemas de celos y ahí no había nada que hacer, por lo que terminamos.

Chimuelo, Aletze sonríe en una foto a color tomada cuando tenía unos seis años. Está sentado en una banca y viste pantalón de mezclilla holgado y una camisa roja mal fajada. Con las dos manos se toma la nuca y lleva el cabello, dorado con matices oscuros, cortado a lo príncipe valiente. Parece un niño feliz.

«Cuando íbamos a comprar ropa, yo decía 'Quiero estos bóxers', y me los compraban. Hubo momentos en los que se les hizo medio extraño, pero lo dejaban pasar, creían que era una fase. De no haber sido así, yo hubiera sufrido mucho más».

La confesión no tiene el menor tinte dramático, como tampoco el relato del tiempo en que sus padres estuvieron separados, entre los cinco y 13 años de Aletze, después de vivir juntos en Cuernavaca. Cuando se advierte un cambio en su acostumbrado tono animado, y más bien para rozar el júbilo, es en el momento que se refiere a las transformaciones obradas por la testosterona: la voz más gruesa y, sobre todo, la pérdida del periodo, que ocurrió en el primer mes del tratamiento. «¡Yo más que feliz por eso!».

Actualmente sus padres, Marisela de la Rosa Vecino y Jorge Estrada Hernández, viven juntos, aunque no están casados. «A mi mamá la idea de casarse nunca le pareció buena, a los novios que le propusieron matrimonio siempre les dijo que no. Incluso mi papá se lo propuso dos o tres veces y le contestó lo mismo. 'Vamos a estar juntos, pero cada quien por su parte', le decía porque mi mamá era sobrecargo de Mexicana y viajaba mucho. Le encantaba ser sobrecargo y lo fue hasta que le dieron una licencia porque le tuvieron que operar los oídos por la presión. Durante esa licencia me tuvo a mí y nunca regresó a Mexicana, no sé por qué. Y se dedicó a vender cosas en general y a los bienes raíces. Mi papá se dedicaba a cuestiones relacionadas con la construcción y tenía dos hijos: Liza, que me lleva 20 años, y Jorge, que es gay y 10 años mayor que yo.

«Mi mamá se separó de mi papá no tanto porque nos pegara, aunque sí es muy grosero y agresivo, sobre todo cuando toma, porque mi papá es alcohólico. En ese tiempo no lo sabíamos, pero al fin y al cabo eso tuvo un peso en que mi mamá decidiera irse. Yo iba a pasar a primero de primaria y mi mamá y yo estábamos practicando en la noche para el baile de fin de cursos, cuando mi papá bajó como loco a apagarnos la música, y hablando con groserías nos dijo que nos fuéramos a dormir. Yo, que iba para seis años, me espanté y le dije a mi mamá: «¿Cuándo nos vamos de la casa?». Ya habían ocurrido otros momentos en los que mi papá se molestaba y hacía llorar a mi mamá, pero ese fue la vez determinante porque ella me contestó: «Mañana mismo nos vamos». Y al otro día hizo maletas pequeñas y nos fuimos a casa de una amiga suya».

*¿Se quedaron con él tus medios hermanos?*

No, mi hermana la más grande ya vivía por separado en su casa, y mi hermano vivía con su mamá. Que yo sepa, nunca vivieron con mi papá. Entonces, ya que nos fuimos estuvimos un año con la amiga, nos pasamos luego a un departamento y, cuando se murió mi abuelo materno nos venimos para México, porque estábamos en Cuernavaca, a esta casa que mi mamá reconstruyó porque aquí donde estamos antes era una sala de televisión. Mi mamá tenía contacto con mi papá y a veces nos «prestaba» para pasar con él un fin de semana en Cuernavaca y ver a mis abuelos, que vivían juntos.

*¿En ese entonces te llevabas bien con él?*

Sí. Y en un momento nos preguntó a mi hermana y a mí: «¿Se quieren quedar con nosotros?». Y como escuinclillos dijimos que sí, porque además creo que nos chantajeaba porque nos compraba lo que queríamos. Así que nos quedamos a vivir con él. Obviamente, mi mamá se devastó, pero ahora le veo el lado positivo a esa situación porque se puso a estudiar. Ella había llegado hasta la secundaria, y en los casi tres años que vivimos con mi papá, se puso a estudiar computación y para maestra de inglés. Entonces e incluso antes, yo ya me vestía como niño, desde que tengo consciencia siempre me gustó la ropa más de hombre que de mujer, a diferencia de mi hermana que sí es muy femenina.

*¿Qué te atraía más: un pantalón, una camisa o los colores de niño?*
Creo que los colores y los shorts; me gustaba mucho andar en shorts, sobre todo en Cuernavaca que hace un calor de la fregada, donde más chico no usaba camiseta, pero cuando me empezó a crecer el pecho, mi papá me dijo: «Ya ponte playeras», y fue cuando me compraron algunos corpiños, que odié pero los tuve que usar. Luego aquí en México tenía un primo, Mauricio, que en realidad era mi sobrino pero es tres años mayor que yo, y en algún momento me donó ropa. Y yo feliz de la vida, claro que mi mamá también porque nunca fuimos de tener muchos recursos, así que lo que nos regalaban era bien aceptado. Tenía unos tenis que eran gordos y negros, nada que ver con los huarachitos y zapatitos que usaba mi hermana.

*¿Te ponían un vestido y decías: «¡Qué horror!»?*
Lloraba siempre y me enojaba muchísimo, sobre todo porque me ponían vestido para ir a fiestas y, obviamente, toda la fiesta me la pasaba molesto.

*Además en las fiestas querrías correr, subir y bajar.*
Bueno, de todas formas lo hacía, pero detestaba estar con vestido. Mis papás estaban bien conscientes de que yo odiaba

usarlos. Y cuando cumplí como 13 años, dije: «Jamás en la vida me vuelvo a poner un vestido», pero no lo cumplí (risa) porque todavía me puse uno para los 15 años de mi hermana, y después me volví a poner un vestido una vez que salimos con sus amigas y con mi novia Diana. Ellas me dijeron: «Anda, al fin y al cabo no se te va a ver porque vas a estar sentado», porque a mí no me gusta bailar en público y menos con un vestido, así que dije: «Bueno, voy a intentarlo». Yo tenía 16 o 17 años, y esa sí fue la última y definitiva vez, jamás volvió a tocar mi cuerpo un vestido. Yo estaba muy enojado porque había muchísima gente y ni siquiera logramos entrar al antro, que era en Acapulco. Pensaba «Nada más me puse vestido a lo estúpido» (risas).

*Supongo que habrá sido un vestido coquetón.*
Sí, era un strapless que me llegaba a mitad del muslo. Nos fueron a recoger al antro y ni siquiera me esperé a llegar a la casa, me quité el vestido y lo aventé. Yo estaba en ropa interior en la puerta de la casa y para ellas fue muy divertido, pero yo lloraba del coraje y la verdad es que siempre fue así.

*¿A qué te gustaba jugar cuando eras niño?*
Como el primo que te digo, Mauricio, vivía en el edificio de la esquina, siempre jugábamos con sus juegos, con espadas, carritos, a cosas de piratas y también videojuegos, a los Power Rangers, porque yo no tenía muchos juguetes. En cambio mi hermana jugaba con mi prima a la casita, a las muñecas, a vestirse como para modelar. Yo siempre me llevé más con él y con niños en general para jugar, porque para platicar sí me llevé más con mujeres. En la escuela siempre

tuve más amigas que amigos, pero cuando se trataba de jugar futbol me iba con mis amigos y me gustaba muchísimo.

*¿Qué posición jugabas?*
En la que me pusieran.

*¿Y eras bueno?*
Sí, y en la primaria, cuando vivía con mi papá, se hizo una competencia de futbol femenil entre escuelas, así que me puse a jugar con chavas; no todas eran muy buenas, pero se hacía el intento y me gustaba estar ahí. Me ponían de portera o de defensa, y eso me ayudó un poquito para quitarme los estereotipos de lo que era para mujer y para hombre, porque en ese entonces rechazaba todo lo que fuera de mujer. Siempre me gustaron las cosas que supuestamente eran clandestinas para niños, como *Dragon Ball Z*, un anime que veía desde que tengo memoria. Para cumplir los 13 años me regresé a vivir con mi mamá y pasé mi último año de primaria aquí; esa fue la primera vez que conscientemente me gustó una mujer. Porque ya me había gustado una compañera antes, cuando vivía con mi papá, pero mi prima me dijo que igual era porque la admiraba. Pero ya aquí, en la primaria se enteraron que me gustaba una chica y lo manejaron como un problemón. Mi mamá no lo tomó muy bien, para ella era algo malo y me llevó al psicólogo.

*¿Te sentías culpable?*
No, porque decía «Es que no puedo evitarlo», pero sí me sentía mal por el hecho de que mi mamá lo tomara así. Y le agarré cierto resentimiento a los psicólogos en general porque pensaba que su trabajo era tratar de convencerme de

que no me gustaban las mujeres. Cuando pasé a la secundaria, el primer día de clases, desayunando, me dijo mi mamá «Eso que hiciste en primaria no lo puedes hacer acá porque si se enteran te corren». Y literalmente, ese día llego a la secundaria, me siento, volteo y la primera chica que veo ¡me gusta! «Huy, lo siento mamá, ya te fallé».

*¿En tu casa asumieron que eras lesbiana, tú te asumiste así?*
Primero yo me asumí como bisexual, en secundaria, porque sentía que no era tan fuerte la onda como para decir «Soy lesbiana». Había tenido novios pero nunca porque me gustaban, sino porque me gustaba pasármela con ellos jugando futbol o videojuegos. Mi primer novio lo tuve en primaria, ¡qué tipo de novio podía ser! Sí había tenido algún tipo de acercamiento sexual, nada significativo para mí, una tontería, que los besos y la fregada. Mi primer beso con un hombre no me gustó en absoluto. Pero ya en secundaria supe conscientemente que me atraían las mujeres, al ver a esa compañera que me gustó durante los tres años de escuela.

*¿No te pudiste acercar a ella?*
Sí, éramos las mejores amigas; con todas las chicas que me han gustado he hecho amistad. D'Angelys, la chica venezolana, fue mi novia virtual, por nuestro interés común en Japón, pero no duramos mucho. Fue en tercero de secundaria y cuando les dije a mis papás que tenía una novia, entraron en pánico (risas).

*¿Cómo se los dijiste?*
Tal cual. Mi papá regresó con nosotros y se empezó a quedar un poquito más en la casa después de un viaje

de 10 días que hicimos a Japón, que fue lo que pedí de 15 años, porque obviamente no quise fiesta de quinceañera. Un día estaban mis papás en la sala viendo una película y yo, platicando con D'Angelys por *messenger*. Ella me dijo: «Mi papá dice que si quieres venir a Venezuela». Y yo «Ah, pues me encantaría». Les dije que mi amiga me estaba invitando a visitarla y mi papá me preguntó «¿No es una novia?». Yo me enojé y le contesté: «Sí, es mi novia. ¿Cómo ves?». Siempre he salido del clóset muy enojadito (risas). En otra ocasión, estábamos él y yo en la sala y me dijo; «En la esquina hay una fiesta, ¿por qué no vas? Está tu gente porque la vecina de tu mamá tiene amigos gays». Y yo: «Pero no es mi gente porque uno, no los conozco, y dos, no soy gay, soy transexual» (risas). Por eso te digo que siempre he salido del closet muy molesto. Y ya empecé a explicarles que tengo el cuerpo de mujer, pero realmente me siento como un hombre. Pensé que iban a entender un poquito mas rápido que soy heterosexual pero en transexual, viendo toda mi infancia y mis fotos, pero no. Nunca imaginé que mis papás lo fueran a tomar exactamente como tomaron el hecho de que yo fuera lesbiana. Una vez, cuando se dio cuenta de que me gustaban las cosas de hombre, mi papá me advirtió: «Si sales lesbiana te quito el apellido», o algo así. Entonces, cuando les dije que tenía novia me llevaron al sexólogo otra vez, uno que mi mamá escuchó en la radio. Para mi fortuna era un buen sexólogo y les dijo: «Es que le gustan las mujeres, ¿qué quieren? Así son las cosas, ni modo». Y ahí empezaron a agarrar la onda de que no me iban a cambiar de ser lesbiana. Cuando pasé a prepa conocí a Diana y se hizo mi novia.

*Era tu compañera en la clase de japonés, pero ¿cómo se hicieron novias?*

Nos hicimos buenos amigos, empezamos a platicar mucho por el *messenger*, y quedamos de salir un día, que fue cuando se estrenó *Avatar*. En el cine, cuando terminó la película le dije: «¿Quieres ser mi novia?» Y le di un beso (risas). Ella aceptó y al cumplir el primer mes de novios la traje a mi casa y les dije a mis papás que era mi novia. A mi papá la noticia no lo hizo muy feliz, y mi mamá dijo: «Ya ni modo» (risas). Mi hermano mayor es gay, así que mi papá ya había tenido sus roces con él, entonces tener dos hijos gays, ¡cómo!, ¿no? Después de un tiempo, obvio conocieron bien a Diana y les empezó a caer bien; duramos tantos años que se hizo parte de la familia, pero sí les costó muchísimo.

*¿Con ella fue tu primera relación sexual?*

Sí, y con ella confirmé que a mí me gustaban mucho las mujeres y me gustaba mucho tener sexo con mujeres. Aunque en ese entonces todavía me decía una chica marimacha, no lesbiana. Así me identificaba sin ningún problema, con ese tipo que en inglés les dicen *butch*.

*Que es un tipo de lesbiana muy masculina.*

Exacto. Y, bueno, Diana dice que eso es lo que le gustó de mí, que tenía rasgos finos pero me vestía como hombre, era muy andrógino. De hecho se burlaba de ella misma porque cada vez que le gustaba un hombre, resultaba que era gay (risas). Y ya nos hicimos pareja. Fue en 2009, y el video sobre transexualidad me lo enseñó en 2011, pero antes le había platicado que cuando era pequeño, a la gente que me confundía con niño, mi mamá le decía: «No, quiere ser niño pero en realidad es niña».

*¿Ahora tienes novia, pretendienta?*
No, porque apenas hace un año que corté con Diana y ahorita no quiero, ni pretendiente, aunque sí me han gustado chavas.

*Y seguramente le has de gustar a muchas y muchos.*
Sí, la verdad (risas), y obviamente me siento bien halagado. Pero en el ámbito en el que me manejo, que es la escuela, ahorita no quiero una novia.

*Y ahí sigue Diana presente en la foto del librero.*
Sí, estuvimos tantos años juntos y su familia se portó súper linda conmigo. A mi familia no le fue nada bien en la vida, y en una época, la verdad es que si no hubiera sido por la familia de Diana nos hubiéramos muerto de hambre, tal cual. Nos apoyaron muchisísimo, incluso pasamos una vez Navidad en su casa y fue muy chistoso porque cuando mi papá se refería a mí en femenino, la mamá de Diana lo corregía.

*¿Qué es lo más padre de ser hombre?*
Híjole, no tener que preocuparte por el periodo es la cosa más fantástica de la vida, te lo juro. Y siento que entre los hombres tenemos menos tapujos para hablar de sexo que las mujeres. A mí me fascina hablar sobre todo lo que tenga que ver con el sexo, tengo más amigas que amigos y cuando trato de entablar conversaciones con ellas al respecto no tienen ni idea, por ejemplo, de lo que sucede con el cuerpo de los hombres.

*¿Hay algo que no te guste de ser hombre?*

Sí, yo creo que el hecho de sentirme inferior a otros hombres, intimidarme con su masculinidad o con su cuerpo, porque yo no soy muy alto que digamos y a pesar de que he hecho ejercicio y se me medio marcan los músculos, no se me marcan tanto como a un hombre natural, que sin hacer nada ya tiene, por ejemplo, la espalda ancha o la cintura recta, sin curvas, porque así nació y punto. A veces me he sentido un poquito menos ante los que son más altos o más masculinos, y eso me causa un poquito de miedo.

*Pero ni siquiera lo que les envidias es la genitalidad.*

No, porque veo un pro en ser *trans*: que puedo escoger el tamaño de mi paquete como yo quiera y si lo quiero cambiar lo hago (risas). Si hoy me siento como para andar con un pene de 10 centímetros, pues me lo pongo, y si mañana prefiero uno de 15, lo cambio. A una pareja también puedo preguntarle: «¿Cuál te apetece hoy?» (risas).

*Tienes los hombros y bíceps marcados, supongo que te pusiste a hacer mucho ejercicio para lograrlo.*

Sí, porque cuando estaba en secundaria investigué formas para tratar de reducir mi pecho, vi que el pecho está constituido de grasa y que para reducirlo había que hacer ejercicio. Entonces me puse a hacer mucho cardio y reduje algunas tallas del pecho. Luego empecé a investigar cómo ganar masa muscular, porque Malcolm, el cuate del documental, estaba muy marcado, tenía un cuerpo bien esculpido y yo quería verme así. Me metí al gimnasio y empecé a indagar sobre rutinas y alimentación para subir de peso. Me ha costado muchísimo trabajo, porque en tres años apenas he subido unos 10 kilos. He tratado de ser consistente aun cuando a veces no he podido pagar un gimnasio, y me pongo a hacer ejercicio en casa cargando los garrafones de agua.

*Ni siquiera se nota que tienes pecho, creí que ya te habías hecho la mastectomía.*

Además del ejercicio, me dijeron que la testosterona me ayudaría a reducirlo un poco de talla. La última vez que fui a hacerme un ultrasonido de pecho, hace un mes, me dijo el doctor «Ya nada más te quedan como siete milímetros de mama, lo demás es grasa y músculo, así que si te quieres operar va a ser mucho más fácil pero si no, incluso con el ejercicio puedes formarte un pecho mucho más masculino». Creo que, ya teniendo un trabajo, todos mis ahorros van a ir directamente para la mastectomía, porque me cuesta muchísimo trabajo hacer músculo.

*Cuando te miras al espejo, ¿qué ves?*

Me miro al espejo y no me desagrado más allá de tener bubis (risas). Porque gracias al ejercicio también he notado cambios en mi cuerpo que lo hacen un poquito menos femenino: se ha reducido la curva del reloj de arena, que le dicen, en la cadera o la cintura, que es una de las partes que más me molestaba. Ya me veo un cuerpo mucho más recto, que asocio con el de un hombre. Huy, y la verdad es que tengo vello en todas partes (risas), y ni siquiera sé bien por qué, pues mi papá tiene uno que otro vello por ahí en el pecho y sí le sale un poquito de barba, pero no como a mí.

*La testosterona.*

Sí, es cañonsísima, aunque supe que al fin y al cabo no influye tanto en la cantidad del vello que te salga sino que eso es más por genética, entonces me acordé que en la rama materna mis parientes sí tienen barba.

*¿Te harías una operación de cambio de sexo?*

No, y menos en México porque es muy caro y siento que no vale la pena la inversión para tener un resultado que no sabes si te va a gustar. He visto muchísimas fotos y sigo en redes a gente que está en el proceso de hacerse un falo de su propia piel, pegado a su cuerpo para siempre, y los resultados no me convencen. Mi percepción es que, de alguna forma, es artificial, y que incluso se ve mal. Hay prótesis de buena calidad que cuestan muchísimo, pero no tanto como una operación de ese tipo, con el añadido de lo que implica la recuperación, el costo de los antibióticos, la cuestión mental y el riesgo de que a lo mejor después ya no te gusta. Al psicólogo en la Clínica Condesa le dije que no pensaba hacerme la faloplastía, y él me comentó: «La verdad es mejor tu clítoris» (risas).

*En un video sobre tu ser trans, te autodefiniste como calmado, aprehensivo y raro. ¿Todavía te sientes raro?*

Todavía. Raro en la parte de ser yo, o sea, soy un hombre, pero si yo me presento ante otras personas la gente piensa que soy gay; no tengo ningún problema al respecto, les digo: «Pues, el gay es un hombre al fin y al cabo, que es lo que me importa, sentirme como hombre». A veces les causa conflicto a otras personas ver cómo me comporto, ver que tengo más amigas que amigos, y que me gustan las chavas.

Como que mi forma de ser en general es muy diversa y muy dispersa porque de pronto puedo aislarme de todos y de repente puedo estar ahí bromeando con todos, entonces yo todavía me siento muy raro en cuanto a eso. Me gusta salir de la norma, que la gente se pregunte ¿qué es?, porque eso podría abrir una conversación en la que yo pudiera explicarles y hablarles más sobre el tema, y eso me gusta mucho.

Apago la grabadora y Aletze accede gustoso a posar con la catana para la foto que usará Marco Colín para dibujar la viñeta que abre su entrevista. Desenfunda el arma con maestría, como si fuera un personaje de los audaces anime que le gustan, pero en realidad sólo es un hombre feliz.

## Sofía Guadarrama
Los yos en un trampolín

«Terminando la entrevista te invito a comer, soy buena cocinera», me dijo Sofía Guadarrama después de que acordamos la cita para platicar. «Sólo dime qué tipo de comida no te gusta y cuál prefieres para más o menos saber qué preparar; por ejemplo, a mí no me gusta la cebolla cruda ni el hígado, pero me encantan las pastas, el arroz y los tacos».

Es Jueves Santo. Poco antes de las 11:30 de la mañana llego a la casa que Sofía alquila en Jardines de Atizapán, Estado de México. Desde su jaula en el soleado jardín, Lola me recibe con sonora desconfianza. «Es muy celosa, se la va a pasar así mientras estés conmigo», me aclara la dueña del perico hembra con esa risa franca que brotará incluso cuando me hable de su reciente duelo.

Al traspasar el portal y entrar en la fresca estancia de la casa de un piso, lo primero que queda claro es el orgullo de la inquilina por su oficio literario: en la pared principal de la sala lucen colocadas como trofeos, una al lado de la otra, en dos hileras arriba del sofá, sus nueve novelas históricas sobre los tlatoanis del México prehispánico.

Los dos títulos que faltan para completar el total de 11 que (hasta ese día) ha publicado en Ediciones B, también están con la carátula de frente en uno de los libreros que ocupan la pared que hace escuadra: *La nota roja* (2011), colección de cuentos protagonizados por el periodista Jean Paul Sanz, y *Sueños de frontera* (2012), sin duda su trabajo más significativo porque le llevó 15 años de escritura para novelar su propia vida, marcada por la búsqueda de una identidad que hoy, finalmente, parece haber asumido.

Del Antonio Guadarrama Collado que firmó esos volúmenes a partir de 2008, y que aparece poco agraciado, siempre con una gorrita, en la foto de sus respectivas solapas, queda poco en la linda mujer que, detrás de la barra de mosaicos blancos de la abierta cocina, platica con la boca discretamente pintada mientras vigila la cocción del espagueti, muele jitomate y cebolla para preparar la salsa que lo acompañará, pone a desinfectar y después pica las espinacas y lechugas de la ensalada.

«La verdad, estuve a punto de cancelarte porque lloré toda la noche, pero no me gusta cancelar de última hora», me responde cuando le digo que sin duda está muy feliz con la nueva vida que acaba de abrazar valientemente.

«Ayer tuve que ver a mi esposa porque se suponía que íbamos a firmar el divorcio; fuimos de una oficina a otra, pero finalmente no pudimos hacerlo porque no nos habían dicho que teníamos que sacar una cita por teléfono; será hasta el lunes, después de la Semana Santa. Me afecta mucho verla, ahora siento muy raro incluso que me toque y todo el tiempo me estaba tomando del brazo».

Tan sólo hace dos meses que el exitoso escritor asumió públicamente su verdadera identidad al compartir en su página de Facebook que es una mujer transgénero, secreto que la había avergonzado durante años y que se había prometido guardar hasta su último día de vida.

«El 26 de enero de 2016 nació Sofía de manera oficial, aunque siempre estuve ahí, debajo de un disfraz de hombre. Siempre en las tinieblas. Temerosa del repudio de la gente», pudieron leer en la red social sus muchos seguidores, la mayoría de los cuales se mostraron comprensivos y solidarios, mas unos 50 la abandonaron.

La liberadora revelación, que la ha convertido en la primera escritora transgénero mexicana, apareció acompañada de una foto de estudio donde Sofía emergía como una mujer bonita, elegante en un traje sastre oscuro, muy sonriente, plena. Ahí confesaba también que tenía en la memoria una imagen que jamás había podido borrar, cuando a los seis o siete años, sin saber por qué llegó a hacerlo, se puso un vestido de su hermana, cuatro años mayor.

«Es difícil recordar qué pasaba por mi mente en aquellos días. Evidentemente asumí que lo que hacía estaba mal, ya que lo mantuve en secreto por años. Un secreto que yo aseguraba se iría conmigo a la tumba».

El relato aclaraba también que había hecho «todo lo posible» por adaptarse al «ambiente de los hombres», actuando. «Aunque repudiara cierto tipo de bromas homofóbicas y misóginas, con el paso del tiempo me contaminé y me volví homofóbico».

Sofía seguía explicando que al sentirse mujer y pensar como tal, en un principio creyó que era gay, sin embargo tenía claro que no le atraían los hombres. «Me fascinan las mujeres». De ahí que es una translesbiana que estaba genuinamente enamorada de su hoy ex esposa, y la separación en que ha desembocado su largo proceso para asumir su identidad, sin duda el último de los varios *yos* por los que ha pasado en sus 39 años de vida, la ha obligado a vivir un duelo.

Investigar en blogs, videos y notas periodísticas publicados en internet le aclaró que la orientación sexual y la identidad de género son cosas muy distintas, y que lo que ella tiene se llamaba disforia de género, un término que ahora maneja con soltura de experta para explicar su situación a todo el que se interese por ella, incluso a los periodistas.

Para terminar de preparar la comida y dar paso a la entrevista, la buena cocinera agrega queso panela a la ensalada y el original aderezo que hizo con jugo de naranja, vinagre, aceite de oliva y chile chipotle.

—¿Te gusta el chile, Antonio?

—Claro, en todas sus presentaciones —respondo provocándole una carcajada.

—La verdad esta cita me obligó a salir del momento depresivo en el que me encontraba. Te decía que se me espantó el sueño a las 3:30 de la mañana y me paré a las 6, desayuné y puse una película pensando que así me dormiría un rato, pero me deprimió más porque resultó ser romántica; tenía que haber puesto una de balazos, de vaqueros (risas).

*La historia de un indocumentado* es el subtítulo de *Sueños de frontera*, que narra con toques novelísticos los hechos reales de la vida «que le ha dado numerosas maromas» a su autor, nacido en Guadalajara el 14 de julio de 1976 y que a los 12 años se vio forzado a irse a vivir a Estados Unidos, donde residía su madre biológica. Ahora Sofía la quiere reescribir, sin prisas, para agregar esa parte esencial de su ser que entonces no se atrevió a revelar, porque ni siquiera la tenía clara.

Sin embargo, al leer el libro conociendo su verdad más íntima llaman la atención las muchas veces que aparece la palabra «mentira», y se hace evidente en numerosas frases lo lacerante que le resultaba tener que ocultar su condición: «Mira que tengo una historia sin final, un montón de secretos acumulados, aclamando ser descubiertos, encuerados, quizá juzgados, pero absueltos [...] Confieso que no soy quien era ni fui quien conociste. ¿Te cuento mi historia? ¿Cuál quieres, la oficial o la clandestina? O mejor dicho: ¿cuál de los tantos yos quieres conocer?».

Esa historia, develada en su novela autobiográfica, puede resumirse así:

A los ocho años viví una puta pesadilla al enterarme que en verdad era José Antonio Sánchez Rangel [en la vida real Rodríguez Ávila]. Un día una tía [Cuca en la novela y Guadalupe Ávila en la realidad] salió del sombrero de un mago y me llevó a su casa. Entonces me despertaron y me confesaron que mi mamá Tina —Ernestina— me había adoptado y por lo tanto no eran mis hermanos los seis muchachos con los que había vivido. A partir de ese instante me cargó la chingada, sufrí una metamorfosis que me arrastró del desconsuelo a la ira. Adopté una rebeldía infantil hasta azotarme con la realidad. Viví cuatro interminables años en casa de esa tía. Tras una larga espera pude penetrar clandestinamente la línea fronteriza entre Tamaulipas y Texas, con otro nombre usurpado, y conocer a la mujer que me había cargado en el vientre, Gloria Esperanza Ávila Garduño, la cual había emigrado, por razones que nunca quiso explicarme, once años atrás. Llegué a vivir a su *town house* en Corpus Christy, donde conocí a mi media hermana mayor, Laura Isabel. Trabajé con mi madre en su negocio ambulante de venta de tacos entre los trabajadores de la construcción, que me apodaron Taco Boy. La relación con mi mamá y hermana era ríspida, por lo que me salí de su casa a los 15 años.

Me fui a vivir a un cuarto en el taller de llantas de segunda mano de Hixinio Galván, con quien había empezado a trabajar como chalán unos meses antes. Ahí los compañeros me apodaron Kiko, supuestamente porque me parecía al personaje de Chespirito.

«¡Tú vas a ser más cabrón que yo, camarada! ¡Vas a ser chingón!», me decía una y otra vez Hixinio, quien llegó a presentarme como su hijo en varias de sus borracheras diarias.

Muchas maromas dio mi vida en el «gabacho»: tuve mi propio negocio ambulante de tacos, trabajé como obrero y llegué a convertirme en un muy respetable contratista. Hasta que un día choqué con mi automóvil, caí en manos de la migra y pisé la cárcel, donde los agentes me llamaban *The Guy with Many Names*, debido a mi doble identidad. Tenía un futuro y lo perdí todo porque a los 22 años fui deportado, sin clemencia, a mi país, el cual no conocía. Viví la miseria, padecí el hambre en mi propia tierra. Revivir fue difícil y muy lento. Me eduqué: leí, estudié, compré libros, aprendí de la literatura, conseguí un empleo modesto como profesor de inglés, y en las clases conocí a una mujer con la que me casé. Mi pasión por la historia de México y esa facilidad que desde la infancia tuve para reinventar los diálogos de las películas o imaginar historias me permitieron convertirme, finalmente, en escritor...

*Viviste cosas muy fuertes en Estados Unidos, incluso tuviste problemas con el alcohol y las drogas. ¿Todo eso te fortaleció para finalmente ser hoy una chingona, como te auguraba Hixinio?*

El personaje de Hixinio está un poquito exagerado en la novela porque es literatura. No puedo decir que era una persona cruel, pero sí que es un hombre —porque sigue vivo— egoísta, soberbio, presumido, materialista (ríe), pero a final de cuentas también tenía su lado bueno y yo le agradezco mucho que me haya empujado diciéndome que yo tenía que ser un chingón. Me lo decía tanto que me obligó a creérmelo, y cada fracaso, esas caídas como la que estoy viviendo hoy en cuestión del matrimonio, y que en otros momentos de mi vida fueron muy largas, se convirtieron en un trampolín. Y cada trampolín era más potente y me lanzaba más alto. Me ha dolido mucho lo del divorcio, pero sé que cuando salga voy a ser más fuerte que antes. Ahora soy fuerte porque me valoro y me quiero como soy, ya no me avergüenzo de ser transexual.

*¿Qué queda de Kiko en Sofía Guadarrama?*

Nada, porque yo no era esa persona. Y en el mismo libro lo menciono... Porque también el libro trata mucho sobre mi condición (trans) aunque no lo diga; ahora que tú ya lo leíste conociéndome como Sofía, pudiste interpretar muchas cosas que la gente no interpretó en ese momento porque sólo podía ver a Antonio. En la novela menciono que cuando careces de identidad, cuando no te sientes bien con tu nombre, eres capaz de aceptar cualquier apodo, así te llamen El Corcholatas.

*¿Ahora no aceptarías ningún apodo?*

De ninguna manera. De repente algunos lectores me escriben y me llaman Chofis, yo sé que es una especie de cariño por Sofía, pero siento ganas de decirles que no me llamen así, que mi trabajo me costó conseguir este nombre para que me lo cambien.

*¿Por qué escogiste Sofía y no Guadalupe, María, Antonia?*

Pensé lo de Antonia y no me gustaba; de entrada me remitía a Antonio y era como nada más feminizarlo. Y no, el objetivo era asumir mi identidad, así que tenía que escoger el nombre con mucho cuidado porque no toda la gente tiene la oportunidad de elegir cómo se va a llamar. Pasé mucho tiempo pensando en el nombre, elegí varios y no me sentía cómoda, hasta que di con Sofía, que me gusta porque es bonito y además significa sabiduría, y también combina con el Guadarrama.

*Después de tus varios cambios de nombre, supongo que ahora es definitivo.*

Tres veces me cambiaron el nombre. En el libro no uso los apellidos de mi madre biológica, que en realidad era Ávila Garduño; de mi padre sólo sé que era Rodríguez.

*Entiendo que a tu padre sólo lo viste una vez.*

Sí, y creo que ya se murió, según me dijo un tío. Nunca me sentí José Antonio Rodríguez Ávila; el Guadarrama Collado tiene un significado muy importante porque para mí es el apellido de una mujer que me adoptó, me dio su casa y su amor. Por eso lo conservo, a pesar de que mis hermanos adoptivos ahora me rechazan por ser transexual.

*Creo que no te han ofrecido la mano; y no es que los defienda, pero tampoco te han rechazado.*

Pues mira: si tienes un número telefónico de alguien y estás pendiente de tu Facebook todo el tiempo, y alguien hace algo tan público como yo lo hice ahí, y pasan tres meses y ni siquiera han sido para mandarme un mensaje privado... Ha habido contactos que me dijeron «Oye, discúlpame por no haberte escrito antes pero quiero manifestarte mi apoyo por los cambios que estás haciendo en tu vida». Y lo entiendes porque no son personas muy cercanas a ti, pero lo que esperas de tu familia es otra cosa.

*¿Es parte del duelo que estás viviendo ahora?*

Bueno, no los puedo obligar, no pretendo llamarles y decirles: «Oigan, ¿qué es lo que está pasando, por qué no me hablan?». Ellos marcarán la pauta si quieren crear nuevas relaciones conmigo, pero probablemente no les interesa.

*¿Eres optimista o no, Sofía?*

Soy optimista, pero también he aprendido a no esperar nada de la gente porque a veces esperas demasiado y duele más cuando eso no llega. He aprendido que quien quiera me dará lo que le nace; me refiero a cariño, amistad, cosas abstractas, no a lo material. Así que tampoco espero nada de nadie ya, porque de esa manera disfrutas más cuando aparecen las cosas bonitas.

*Me gusta mucho una frase que le dices en la novela a tu madre cuando decides independizarte: «No te preocupes por mí, ya aprendí a caminar descalzo». ¿Cómo aprendiste a caminar con tacones?*

Pues, cayéndome; creo que tropezándome mucho. No lo había pensado de esa manera, pero lo estoy haciendo, estoy aprendiendo a asumir mi identidad y a sentirme orgullosa porque en la comunidad trans se acostumbra a no sentirse orgullosa de serlo, algo que sí hace la comunidad gay cuando dice «¡Sí, soy gay y me vale madres lo que pienses!». Creo que en la comunidad trans todavía falta que no pretendan ser mujeres cisgénero (personas cuya identidad de género y género biológico concuerdan con el rol social asignado), que no traten de engañar a la sociedad con que «es que yo sí soy normal». No, yo soy trans, ¿y qué? Así soy, así me gusta ser y así me acepto. Lo principal es que te aceptes como persona porque mientras no lo hagas la gente no te va a respetar. Y creo que eso me está ayudando mucho con mis lectores porque, aunque en la vida privada tenga algún duelo, en la vida pública les estoy dando la imagen genuina de que me siento orgullosa, de que no soy una mujer cisgénero porque no nací así, estoy en transición y no tengo por qué sentirme avergonzada de eso y creo que la gente lo está valorando más.

*Publicaste que muchas mujeres trans se ven obligadas a ejercer la prostitución. Tú tienes la fortuna de haberte formado de manera autodidacta en la escritura, ya que por tu historia de vida no fuiste a la universidad, y tus libros son éxitos de ventas. Eres una rara avis en tu comunidad.*

Eso es algo que mucha gente no entiende y que me duele mucho, creen que la mujer trans ejerce la prostitución por placer. Esta semana el personaje que tiene ese título mediocre que se inventaron en el DF de *City manager* [Arne aus den Ruthen, en la Delegación Miguel Hidalgo], grabó en

Periscope a dos mujeres transexuales en la calle señalándolas porque supuestamente se estaban prostituyendo. Hasta donde tengo entendido la prostitución no es un delito en México; es un delito la trata de personas, que es diferente. Hubo una nota un poquito tendenciosa en un periódico porque a raíz de ese señalamiento se manifestó Diana Sánchez Barrios exigiendo respeto a las mujeres trans, en primer lugar porque si como mujer estás parada en una esquina con minifalda y tacones no te tienen por qué estigmatizar como prostituta. La persona que hizo la nota citando a Diana mencionaba también que es hija de la lideresa de los comerciantes ambulantes Alejandra Barrios. La nota no tenía por qué tener esa alusión, además de que su tono tendencioso e irresponsable echándole también lodo a la comunidad LGBT que no tenía nada que ver en eso, generó comentarios homofóbicos, transfóbicos y prostitufóbicos.

En el clóset de su recámara, Sofía aún guarda un par de sacos, chamarras y camisas que usó Antonio. «Le regalé toda la ropa de hombre a mi prima para su marido, pero ella me convenció de que guardara algunas porque las podía feminizar con otras prendas», explica.

«En realidad las tengo ahí para ver qué tal funciona mi cerebro, si hay algún arrepentimiento, y no lo hay porque de repente pasa por mi mente ponerme una de esas camisas y no, no se me antoja».

Después de un proceso de muchos años para poder «asimilarlo y entenderlo», el escritor se sinceró con su esposa y le explicó que había nacido con disforia de género. «A mi esposa le costó mucho trabajo entender mi condición; lo primero que le vino a la mente es que yo era gay. Entonces le dije que lo podría ocultar, pero la vida te alcanza y tarde o temprano te empuja a asumir estas cosas».

El tratamiento con hormonas femeninas iniciado por Antonio en 2010 había tenido algunos abandonos hasta que en 2014 se decidió a seguirlo de por vida, siempre bajo supervisión médica. Poco a poco fue usando prendas de mujer sólo en su casa, algunos días acordados con su esposa, quien le pedía que de preferencia lo hiciera cuando ella estuviera fuera, estudiando la carrera que el escritor le financiaba.

Fue en Santiago de Chile, durante unas vacaciones, que logró el «permiso» de su pareja para salir por primera vez a la calle vestido de mujer; finalmente estaban en un lugar donde nadie las conocía.

«Al principio sentía que todos me veían y decían: «Mira ese maricón» o cosas así. Pero no sé en qué momento ya me valió porque, como explica Ofelia Pastrana en sus videos sobre transexualidad, hasta que no eres capaz de decirte en el espejo: «Soy un joto, soy un puto maricón», no estás lista para aceptarte. Cuando puedes aceptar cualquier insulto, es que ya no tienes ningún conflicto contigo misma».

Llegó un momento en que era «tremendamente imposible» para Antonio ocultar los pechos, resultado del tratamiento con hormonas. Se hartó de sujetarlos con un top, usar prendas holgadas y estar siempre con los brazos cruzados. Además, ya odiaba la ropa masculina. Su esposa se había ido de la casa, reclamando el divorcio. En una ocasión, Sofía se había animado a salir en pants, sin maquillaje, al tianguis de su colonia, donde uno de sus grandes sueños se hizo realidad cuando le preguntaron: «¿Qué le vamos a dar, señorita?». También la trató de señora un empleado de Telmex, a pesar de que ella creyó haberlo recibido como «el señor Antonio Guadarrama». Su vecina y arrendadora, después de que le contó entre lágrimas su condición, la había seguido invitando a sus reuniones familiares, donde todos la trataron en femenino.

Su proceso era imparable, así que a finales de enero del 2016, el escritor decidió convocar una reunión con su editora, Yeana González, y el comité editorial de Ediciones B para contarles que había *transicionado*, por lo que su libro número 12, que estaba por salir con el título *Piso 931*, tendría que ir firmado por Sofía Guadarrama Collado. Los ejecutivos tomaron la noticia con mucho respeto y le dieron su apoyo.

Ese mismo día, por la noche, asistió a su primer acto público como Sofía, un coctel de la editorial Random House. Le pidió a su amiga y colega, Claudia Marcuccetti, que la acompañara y fuera su «madrina».

«En el coctel de Random House me vieron escritores que me reconocieron automáticamente; otros, no, pero hubo mucho respeto, aunque algunos se hicieron de la vista gorda, se siguieron derecho, así como no te conozco».

*¿Se los tomaste a mal?*
Fíjate que no porque no me importa, eso ya lo superé.

*Esperanza tiene una frase muy bonita en Sueños de frontera: «La felicidad está en creerla». ¿Ya te estás creyendo tu felicidad?*
Bueno, la frase es mía, pero la puse en sus labios. Como te digo, son pequeñas licencias de la novela. Sí, yo creo que la felicidad está en que te la creas.

*¿Ya te la estás creyendo?*

Con respecto a lo que estoy viendo de mi transición, sí. Ahorita mi único dolor es el duelo de la separación, lloré toda la noche y esta mañana, pero sé que cuando me harte de llorar, cuando se me acaben las lágrimas y supere el sufrimiento, todo será hermoso.

Con una botella de vino, brindamos durante la rica comida por su felicidad. Pocas semanas después, Sofía me contó que esa anhelada felicidad había comenzado a materializarse tras firmar el divorcio el 5 de abril de 2016, dos días antes de su undécimo aniversario. Luego, el 14 de abril presumió en Facebook la salida de *Piso 931*, y el 17 de mayo, Día Internacional de la Lucha contra la Homofobia, subió a la red social el acta de nacimiento con su cambio de género y el nombre de su definitivo yo.

## Marta Lamas
### Feminista y jotera

«Le advierto que no doy entrevistas sobre mi vida privada», me dice Marta Lamas cuando la llamo para confirmar
nuestra cita del día siguiente. «Si cree que vale la pena, nos
vemos y puedo hablar de ideas, de mi relación con el movimiento gay o de Carlos Monsiváis». Le respondo a la antropóloga y buga solidaria con el movimiento homosexual que
si algo da pena no vale, así que más bien valdrá el gozo verla,
como habíamos acordado, ese lunes 17 de octubre a las 9:30
en la cafetería de la Librería Octavio Paz del FCE (en su casa
no recibe periodistas, me zanjó cuando la abordé en la Cá-
tedra Carlos Monsiváis para entregarle *Chulos y coquetones* y
pedirle la entrevista).

En la noche duermo mal, ideando estrategias para penetrar, aunque sea un poco, el escudo de la intimidad de la

«feminista icónica». Llego a la cita 50 minutos antes, y luego sabré que compartimos esa obsesión por la puntualidad —una de las «manías» que no le gustan de sí misma—, por lo que ella entró al estacionamiento de la librería con 30 minutos de anticipación e hizo tiempo para subir a la cafetería a las 9:20.

Marta sonríe al verme esperándola, elige una mesa apartada y, después de que pedimos capuchinos con leche deslactosada, me dice sin preámbulos: «¿Empezamos?». Durante la siguiente hora y media de conversación, la activista por el derecho de las mujeres al aborto seguro, en ningún momento se mostrará «mamona» —como de inmediato se autodefine—, siempre responderá cordial, a ratos risueña y en ocasiones riendo abiertamente; incluso me tuteará de inmediato y más adelante me reclamará que le hable de usted, y, sin que yo tenga que recurrir a maña periodística alguna, me sorprenderá al obsequiarme varias perlas de su vida privada: el nombre del padre de Diego, su único hijo a quien gozó amamantar; un deslumbramiento lésbico con una española «guapísima» que fue amante de María Félix; la erotización que puede producirle un típico macho mexicano, la propuesta de matrimonio que le hizo a su mentor y amigo Carlos Monsiváis; los recientes y recurrentes sueños con su padre, muerto en 1973 a los 51 años, y que Marta no tendrá ni tumba y menos epitafio porque los epitafios le parecen una «mamada». El único tema realmente invulnerable será el de sus amores: cuatro importantes en sendas décadas de su vida, entre los 20 y los 50 años. Los detalles sólo los sabe Leonard, que duerme abrazado con Marta y le da besitos. «Es una maravilla, mira, te lo enseño», dice abriendo la galería de fotos del celular. «¡Es un tigre!».

Miro al gato echado sobre el piso y sólo puedo reconocer que sí, «es divino».

*Usted nace en 1947, ¿podemos saber el día?*
No. Septiembre.

*¿No le gusta que la feliciten en su cumpleaños?*
No, me choca que me hablen por teléfono, que me manden correos (risillas).

*Bueno, ¿le tocó ser «el ejemplo», la mayor de los hijos, tiene hermanos?*
Soy la mayor, tuve un hermano dos años más chico que yo, Horacio; drogadicto, murió a los 54 años.

*Entiendo que sus padres son argentinos, su historia de migración debe ser fascinante, ¿nos puede compartir algo de esa historia?*
Sí. A mi padre, Adolfo Lamas, lo invita el entonces exministro de Hacienda, don Luis Montes de Oca, a venir a echar a andar un proyecto de ahorro y préstamo para la vivienda familiar, y luego a sacar un libro en el FCE que se llama así, *Ahorro y préstamo para la vivienda familiar*. Raúl Prebisch, un economista argentino joven, es quien lo recomienda con don Luis, que seguía teniendo mucha influencia en el gobierno de México. Llega en 1945 con la idea de estar dos, tres años para echar a andar el proyecto y regresarse a Buenos Aires. Pero le empieza a ir muy bien económicamente porque es el momento de Miguel Alemán, del despegue económico, y mi papá se enamora de México y decide que en el fondo es mexicano, pide la nacionalidad y se queda en México. Y bueno, mi mamá, María Marta

Encabo (1922-1998), es muy porteña, muy argentina, y detestó tener que quedarse en México. Ese conflicto entre Argentina y México, pues yo lo vivo de niña y opto por ser mexicana.

*¿Sin ninguna duda?*
De chica sin ninguna duda, ya de adulta me doy cuenta que soy mezcla y que en Argentina me siento mexicana y en México me siento argentina. Tengo muchos estilos que a los mexicanos no les gustan: soy mamona, soy directa, soy lo que se dice una persona agresiva, digo las cosas y demás.

*Hace dos años (2014), cuando presentaron su libro* Cuerpo, sexo y política, *Gabriela Cano se refirió a su «corazoncito de rebelde», ¿lo tuvo desde niña?*
No mucho desde niña porque había poco contra lo que rebelarse. Lo que tuve desde niña fue mucha consciencia de la desigualdad y de sentirme privilegiada. Yo era una güerita en un país en donde ser güerito tenía toda una valoración que en Argentina no tenía. Yo en Buenos Aires salía a la calle y era una más, aquí no. Para empezar, aquí no salía sola, salía con nana, con chofer, mi mamá no nos dejaba andar en la calle porque le daba miedo. En Buenos Aires sí salíamos solos. Lo que yo tuve desde muy chica —porque viajábamos mucho entre Argentina y México, también a Nueva York, porque mi papá tenía negocios allá, y luego Europa—, era el tema de la pobreza: la gente pidiendo dinero en la calle, los perros flacos en el campo, toda eso a mí siempre me dolió y no tenía cómo interpretarlo.

*¿Se empezaba a hacer preguntas y no tenía respuestas?*

No me hacía preguntas, me dolían las cosas. Ya las preguntas y las respuestas las tuve mucho más grande, en la preparatoria.

*Usted ha contado que fue muy determinante su profesor de preparatoria, Francisco Carmona Nenclares, que le descubrió el marxismo, y esa conferencia en 1971 con Susan Sontag y la invitación ahí de Marta Acevedo para entrar al feminismo, pero ¿podría compartir algún recuerdo de la infancia que haya sido la semilla de la feminista?*

Bueno, yo tuve una mamá muy feminista. Lo digo en el último libro que publiqué, *El largo camino a la ILE [interrupción legal del embarazo]: Mi versión de los hechos*. Tuve una mamá feminista que me dio a leer a Simone de Beauvoir, una mamá que recibía el periódico *Le Monde* de Francia diario, con dos o tres días de retraso; que leía las revistas, que me fue señalando y cuando sale el desplegado (el 5 de abril de 1971) de las 343 mujeres que dicen «Yo he abortado», con el nombre de Simone de Beauvoir, lo recorta y me lo enseña. Mi madre era la hija de en medio, tenía un hermano mayor y uno menor, y a ella le tocó, por ser mujer, ocuparse de las cosas de sus hermanos, «lávale la ropa a tu hermano, hazle la cama». Entonces, con mi hermano y conmigo fue muy igualitaria. Nunca hicimos trabajo doméstico porque siempre hubo servicio en la casa, pero yo montaba a caballo y disparaba pistolas, en mi casa no había lo femenino y lo masculino muy marcado, excepto en el tema de la ropa. Mi mamá era una porteña a la que le gustaba vestirme con faldita y a mi hermano con pantaloncitos escoceses y una corbatita. Pero, fuera de la ropa, recibí una educación muy igualitaria y con el mensaje de que lo importante era lo intelectual, no el aspecto físico, y que daba lo mismo ser hombre y mujer, todos teníamos las mismas capacidades. Pensándolo ahora, era una contradicción que el aspecto físico no era importante y se invirtiera tanto en traerme la ropa de Buenos Aires, o en ir a Estados Unidos a comprarla.

*Entonces mamó el feminismo.*

Sí, yo creo que sí, que fue una influencia muy importante en mi vida tener una mamá bastante liberada, que iba a psicoanálisis, que tenía una actitud muy progresista con respecto a la mayoría de las cosas; fue una influencia, bueno, los dos fueron una influencia muy importante por distintas razones.

*¿Y era activista también su mamá?*

No, era una señora de sociedad.

*¿Cuál fue su primer encontronazo con el machismo?*

Fue muy tarde porque, digamos, a lo mejor hubo machismo y no me di cuenta, pero ya grande, embarazada de mi hijo salí a pedir trabajo y me acuerdo que en un lugar la propuesta fue que me acostara con el tipo que me estaba entrevistando, y yo dije «¡Pero estoy embarazada! ¿Cómo se le ocurre?». Eso me escandalizó. Sería en 1969 y yo tendría 22 años. No viví en un medio machista ni fui a escuelas donde se permitiera el machismo, así que fue muy muy grande que me di cuenta. Ahora puedo interpretar, a posteriori, por ejemplo, que en el movimiento estudiantil del 68 la repartición de trabajo de la gente activista sí era, pues más que machista, tradicional-patriarcal: nosotras hacíamos el café, estábamos en el mimiógrafo, es decir, ahora puedo pensar:

«Qué curioso, cómo ha cambiado esto...» Pero ya vivir el machismo, creo que ese fue mi primer *shock* con respecto a un hombre machista.

*¿Y ese hombre fue así de directo?*

¡Así de directo! Y años después cuando entré a la UNAM, en 1975, yo estaba trabajando en la Comisión Técnica de Implantación de Proyectos Universitarios que dependía de Fernando Solana, y tenía que hablar con los directores para convencerlos de un proyecto de colaboración con las universidades de provincia. Cuando fui al Instituto de Investigaciones Sociales, el director, que en ese entonces era (Raúl) Benítez Zenteno, también me dio a entender que sería muy fácil que yo consiguiera una plaza en el instituto si salíamos o una cosa así... fue muy elegante la manera en que me lo dijo, pero también para mí fue un *shock* pensar que el director de un instituto pudiera estarme insinuando eso. Simplemente le dije «¡Está usted loco!», me paré y me fui a hacer entrevistas con otros directores que jamás se les ocurrió hacer ese tipo de señalamiento.

*Si me permite el juego y un poco la invasión de la intimidad, ¿cómo se dio cuenta de que era heterosexual?*

Porque siempre me gustaron los hombres. Yo veía las películas mexicanas de Pedro Infante y Jorge Negrete, y soñaba con Pedro Infante y Jorge Negrete porque estaba enamorada de mi papá; digo, a mí me funciona el Edipo así muy tradicional. Pero realmente es hasta que entro al movimiento feminista que me doy cuenta de que existen las lesbianas y me parece como raro que no les gusten los hombres pero, digo: «Allá ellas»; fue como mi primera actitud. Y en la medida en que empiezo a leer cosas de feminismo, empiezo a ver que hay todo un tema de discriminación contra las lesbianas.

*Doblemente, me parece, por ser mujeres y por ser lesbianas, y que aún prevalece.*

Sí, aunque también hay privilegios por ser mujer. Yo estoy bastante fuera del discurso victimista de que todas las mujeres estamos oprimidas, sufrimos y somos discriminadas. La variable clase social, la variable étnica, hay muchas variables que van matizando. Yo siempre me he sentido menos oprimida que los obreros, que los campesinos, que los meseros, que toda una cantidad de gente. El tema clase social es muy fuerte en México porque está además cruzado por la racialización: el ser güerito, ser blanquito en México, y usted lo sabe muy bien, es un privilegio, ¿no?

*Me dice que cuando entra al feminismo se da cuenta de las lesbianas, ¿pero tuvo noticia en una época temprana de la diversidad sexual, quizá por algún pariente gay, algún compañero en la escuela que haya sufrido bullying?*

Sí, en la prepa (The Mexico City School) yo tenía un compañero muy afeminado, Pepe Anís, y claro, mi impulso era como protegerlo, me parecía muy injusto que lo trataran mal por eso. Cuando mi papá llega a México, uno de sus contactos era (el economista) Víctor Urquidi y a partir de él mi mamá entra en contacto con el grupo de Nabor Carillo, de muchos intelectuales, y había un poeta gay, Elías Nandino, que se hace muy amigo de mi mamá, de hecho me hace un poema de niñita que debo tener por ahí. Entonces yo creo que gracias a la naturalidad con la que mi mamá recibía amigos gays en la casa, aunque no eran tantos, Juan Soriano,

Elías Nandino, para mí no era algo de ¡oh, qué horror! Mis papás venían de esas familias donde la costumbre es casarse por la iglesia y yo hice la primera comunión y cosas así, pero no eran religiosos, entonces no tenían esa cosa tan puritana. Yo termino la prepa y me paso dos años de locura hasta que regreso y entro a la Escuela de Antropología (del Instituto Nacional de Antropología e Historia), donde no recuerdo a nadie gay o alguna lesbiana. En 68, (el periodista) Mauricio González de la Garza no sé cómo conoce a mi papá y le cuenta del libro que estaba queriendo hacer sobre este monje en Cuernavaca... (Gregorio) Lemercier, y Mauricio viene muchas veces a la casa con su pareja que era un arquitecto.

*De lo más abierto.*

Sí, mi papá perfectamente sabía que Mauricio era gay, y que el arquitecto era su pareja, y los apoya, de hecho le ayuda a que salga su libro. Y a mí Mauricio me dice un día «Tienes que conocer a una mujer genial: Amelia Abascal», que había sido amante de María Félix. Una española guapísima, ¡un mujerón! No, no, no, yo me acuerdo que al terminar la reunión donde me la presentaron, yo me ofrecí a llevarla a su casa, dije: «A ver si me seduce o me planta un...», porque me pareció súper atractiva, muy masculina pero muy muy atractiva. No me hizo el menor caso así que mi fantasía lésbica se quedó absolutamente frustrada. Pero fue una mujer que me resultó muy atractiva, tal vez por la cosa masculina.

*Intuyo que también habrá sido muy inteligente.*

Encantadora, se supone que ella fue la que se llevó a María Félix de parranda por España y que María Félix tuvo su primer romance con ella. Era una mujer muy muy guapa, muy inteligente, de esas españolas así, muy fuertes. Y luego en el feminismo, en los primeros años nadie en el grupo se asumía como lesbiana y a mí me parecía injusto que nos dijeran a las feministas que éramos lesbianas. Yo decía: «No, no somos lesbianas, somos mujeres que estamos viendo toda una problemática de la mujer y que nos gustan los hombres».

*Y además se los decían para insultarlas.*

Sí, claro. Pero en 1978, Yan María Castro es la primera que se asume completamente como lesbiana. En el grupo había varias que luego yo me enteré que también eran, como una prestigiada antropóloga cuyo nombre no menciono porque ella nunca lo ha hecho público, pero habían otras compañeras que salieron del closet en 1978 o 79. Yo había entrado al movimiento en 1971, así que pasaron siete años antes de que alguien con quien habíamos compartido muchas horas se atreviera a decirlo, porque creo que entre nosotras había una homofobia, digamos, no intencional.

*¿Introyectada por la cultura?*

No, básicamente que no se nos ocurría, no nos habíamos dado cuenta de que esas compañeras eran lesbianas. Ni ellas lo decían, ni aparecía; es decir, nosotras hablábamos mucho de nuestras relaciones con los hombres, nos quejábamos, decíamos que si habíamos cogido con éste, con el otro, lo que fuera, y ellas no hablaban de lo mismo con respecto a mujeres, incluso se cuidaban mucho. Creo que la valentía de Yan María Castro de abrirse sirvió para decir: «¡Ah, qué bien!».

*¿No fue motivo de escándalo al interior del grupo?*

Para algunas sí; en mi caso no porque por mi familia yo había tenido una mirada de apertura hacia eso como de otra opción, y por las lecturas: para 78 ya había la reflexión de Gayle Rubin, y otras muchas reflexiones en donde el tema era qué pasa con la sexualidad y cómo toda sexualidad está reprimida, no solamente la homosexual, también la heterosexual. Todo este debate de la doble moral, de que eres decente o eres puta. En fin, habíamos hablado mucho de eso, entonces en el pequeño mundo en el que yo estaba no fue un *issue*. Creo que nos escandalizó más que nuestras propias compañeras se hubieran tardado tanto tiempo en decirlo, y también nos dimos cuenta que, de alguna manera, nosotros no habíamos favorecido a que eso se abriera. Pero en 1972, cuando hicimos la conferencia (pública sobre feminismo) en el (colegio) Cipactli, yo coordiné la mesa de sexualidad y planteamos teóricamente el tema del lesbianismo como una opción legítima, aunque en ese momento no hubo ninguna compañera que dijera «Soy lesbiana». Sí sabíamos de la existencia de Nancy Cárdenas, y de hecho Nancy organizó en su casa en Cuernavaca una reunión de discusión entre lesbianas y feministas, y la única feminista no lesbiana que llegó a esa reunión fui yo, porque ahí estaba Chavela Vargas, que me pareció también una mujer atractiva, aunque me gustaba más Nancy que Chavela como personaje. Y de pronto yo me sentí totalmente fuera de lugar porque a la media hora de que empezó una discusión teórica, todas las chavas se pusieron a fajar (risas), y yo no tenía con quién fajar. Había varias que un poco me lanzaban el *can* y la verdad es que un poco por curiosidad me hubiera gustado, pero me sentí muy sola en ese medio. Dije: «Bueno, yo venía aquí a un debate, ustedes van a entrar en la parranda, pues síganla, yo no le entro a esta parranda». En esa época yo escribía en *El Universal* y publiqué un artículo que se llamó *Lesbianas y feministas*, y va a ser ese artículo el que haga que Carlos Monsiváis consiga mi teléfono en el periódico y me hable a mi casa para invitarme a tomar un café porque le interesó este planteamiento de que teníamos mucho en común y que no podía ser la orientación sexual la que nos separara.

*Yo quería preguntarle también de ese encuentro, pero si me permite antes abordar un par de cuestiones personales: por su defensa del derecho al aborto la han llamado «asesina de bebés», lo cual es una cosa estúpida, pero estoy seguro que vivió muy bien la maternidad con Diego. ¿Podemos saber algo de esta maternidad, de su padre, de él, qué hace su hijo?*
No, no...

*Tiene 46 años.*
Tiene 46 años, sí (risilla evasiva).

*Intuyo que debe ser un hijo ejemplar...*
No es un hijo ejemplar, pero fue una maternidad elegida, yo estaba casada con otro personaje y a los seis meses me separé y usaba anticonceptivos. Cuando me enamoro del papá de Diego me voy con él y decidimos voluntariamente que queremos tener un hijo. Entonces yo decido dejar de tomar anticonceptivos, fue un hijo deseado.

*¿Y duraron como pareja?*
No, un año y pico. Nos separamos como a los tres meses de que nació Diego.

*¿Podemos saber el apellido paterno de Diego?*
No, el apellido de Diego es el mío, lo registré yo; Diego es Diego Lamas, es mi mismo apellido. Pero su papá se llama Javier Mena, es un antropólogo, ya murió. Diego es hijo de Javier Mena pero lleva mi apellido.

*Bueno, usted me lo acaba de decir: se casa muy joven, se separa, se junta con otro hombre, tiene a Diego, ¿cree en el matrimonio?*
A ver: yo creo en los acuerdos, que se pueden formalizar ante la ley o no, y también creo que las amistades duran más que los amores. Yo he visto en algunas de mis amigas una capacidad de llevar el amor hacia la amistad y tener matrimonios muy largos, de treinta y tantos años. Pero hay otras personas que tenemos una incapacidad de transformar el amor en amistad. Yo he tenido varias parejas; mientras me dura el amor dura la pareja, y cuando el amor empieza a transformarse prefiero que cada quien se vaya a su casa.

*¿Estos hombres que la atraen tienen que ser feministas?*
No.

*¡¿No?!*
Para nada.

*Machos no, obviamente.*
No, algún macho he tenido. El problema con la erotización, hay un libro precioso que acaban de traducir, está aquí en la librería, de Duncan Kennedy, un abogado norteamericano del (movimiento) Critical Legal Studies, que hace un largo ensayo, *Sexy dressing etc.* Aquí lo tradujeron como *Abuso sexual y vestimenta sexy*, y el punto que él maneja es la

erotización de la dominación. Si usted se acuerda lo que son las películas de Pedro Infante y Jorge Negrete, hay una parte en el machismo de erotización de esa relación, y nosotros fuimos troquelados en nuestro inconsciente por muchas de estas figuras, entonces a mí me gustan los hombres que de repente pueden ser machos; claro, duro muy poco con ellos, pero me atraen, me erotizan.

*¿Los doma?*
No, no es un tema de domar. El amor es coincidencia, si no hay coincidencia no funciona. Pero he tenido parejas muy distintas, he tenido hombre muy *avant garde*, muy progresistas, muy feministas, muy tímidos, muy femeninos, y también he andado con personajes como el típico macho mexicano (risillas). El erotismo tiene sus misterios e involucra muchos componentes. Me erotiza muchísimo la inteligencia en las personas y también me erotizan cuerpos o actitudes, hay distintas combinaciones.

*¿Tiene pareja ahora?*
No, ahorita no. Mi pareja es Leonard, es un gato divino (risas). Se llama Leonard en honor a Leonard Woolf (esposo de Virginia Woolf), que me parece que fue también un hombre súper atractivo.

*Usted sabe que, en privado, Monsiváis decía que los homosexuales no teníamos por qué hacer «mímica» de los heterosexuales en la cuestión del matrimonio, pero en lo público defendía este derecho. ¿Le recomendaría a los gays, a las lesbianas que se casen?*
Mientras el matrimonio legal dé ciertos derechos como tener la posibilidad en un hospital, frente a un accidente,

de definir cuál es la política médica que se tiene que seguir, y que en lugar de que llamen a la mamá o al hermano llamen a la pareja. Me parece que, en ese sentido, tenemos una sociedad muy jodida que le ha otorgado ciertos derechos a los matrimonios. Yo me imagino que dentro de medio siglo o algo así, ya nadie se va a casar y que las leyes van a haber cambiado y que simplemente la convivencia va a dar derechos, pero en este momento sí me parece que para muchas cosas, para irse a una beca juntos o para el tema médico, sí hay una diferencia entre estar casado y no. Yo sí creo que las personas homosexuales, lesbianas y gay, pueden elegir si quieren tener esos derechos o no, y la sociedad se los tiene que ofrecer, los tiene que hacer iguales. Pero también tengo amigos heterosexuales que no se han querido casar nunca. Yo me casé la primera vez porque era menor de edad, antes la mayoría de edad era a los 21 años. Como tenía 19, necesitaba el permiso de mis papás para irme a vivir con el galán y era todo un rollo. Entonces fue más fácil casarme que bronquearme y todo eso. Y luego tuve a mi hijo sin casarme con Javier, etcétera. Después tuve una pareja en 1975 que había nacido en España y llegó aquí cuando la Guerra Civil. México rompió las relaciones con España y no tenía papeles, y como nos habían ofrecido un viaje con sus niños y mi hijo, para sacar pasaportes nos casamos en el registro civil. Son las dos veces que me he casado. He tenido relaciones sin casarme con los personajes con los que he vivido porque yo he tenido, digamos, un nivel de autonomía económica y social que no requiero del matrimonio, pero puedo entender (suspiro) que a una pareja de chavos en donde uno es académico, el otro no y se va a hacer el doctorado a no sé dónde, les conviene a lo mejor casarse.

*Un matrimonio por conveniencia igual que el de los heterosexuales.*
Exactamente. A mí la figura matrimonio no me parece indispensable y necesaria, aunque simbólicamente y legalmente tiene importancia para algunas personas que quieren casarse y hacer la fiesta. Yo nunca me casé con fiestas y con vestido ni por la iglesia, fuimos al registro civil y firmamos porque era un trámite para conseguir un pasaporte de mi marido. Pero yo creo que para que haya igualdad esa opción tiene que estar abierta a las personas independientemente de su orientación sexual.

*Desde sus inicios en el feminismo toma, y usted lo dice así, como «obsesión» el aborto. Quiero pensar que tuvo que ocurrir o usted presenciar algo muy determinante para irse por ahí. No quiero decir que precisamente usted haya abortado.*
Cuando tomé lo del aborto, yo nunca había abortado; aborté mucho tiempo después. No, lo que pasa es que muchas de mis compañeras feministas, que en lo personal estaban de acuerdo con el aborto, no podían hacerlo públicamente porque «Ay, mi mamá se va a atacar, mi abuelita me va a no sé qué». Había una sanción social, familiar y no se atrevían a hacerlo público. Como yo sabía que mi mamá estaba totalmente de acuerdo con el tema, pues me había conseguido el desplegado de las 343, yo no iba a tener ningún costo personal, digo, lo he tenido de otras personas que me han agredido por eso, pero mi mamá estaba absolutamente de acuerdo. Esa fue la razón personal, pero la razón teórica es que hombres y mujeres somos iguales como seres humanos y somos diferentes como sexos, y la única causa que puede justificar una política especial para las mujeres es el aborto. A los hombres también los violan, también los

agreden, es decir, cualquiera de las reivindicaciones feministas de discriminación, de violencia, también las padecen los hombres, la única que no padecen los hombres es el embarazo no deseado. Entonces, yo no encontraba en términos teóricos algo tan específico de las mujeres por lo cual luchar. ¿Cómo voy a luchar en contra de la violencia hacia las mujeres? Hay que luchar en contra de la violencia hacia todos los seres sintientes incluyendo los animales. Yo nunca he tomado el tema de la violencia hacia las mujeres y eso ha sido muy mal interpretado porque piensan que no apoyo; no, sí apoyo, pero para mí el feminismo no es *mujerismo*, no es luchar sólo por las mujeres, es luchar por algo muy específico que sólo les pasa a las mujeres. La discriminación, la opresión, la explotación, los sufren muchas mujeres y los hombres, menos el aborto.

*Cuénteme cómo fue esa primera vez que habló sobre el aborto, en el Politécnico en 1972-73.*

¡Por poco me linchan! Yo creo que había mucha ignorancia por parte de las feministas que estábamos empezando, y además me acuerdo que para mí, supongo que por esta historia familiar, me parecía tan sensato que las mujeres pudieran abortar, que cuando me invitan a la Escuela de Medicina del Poli yo llegué con un discurso muy cuadradito sobre el derecho de las mujeres, y los médicos me empezaron a rebatir con argumentos médicos que yo no manejaba en ese momento, como «es que a las tantas semanas ya el genoma no sé qué y el corazón late». Además, entonces se hablaba de feto, no de embrión, se empezó a hablar de embrión muchísimo después. En ese momento se comentaba: «Y usted quiere que los fetos, porque un feto ya puede vivir fuera del cuerpo de la madre». Claro, para mí fue darme cuenta de que no bastaba tener una idea, que la tenía que fundamentar no sólo con argumentos del orden político, de la libertad y de la autonomía corporal, sino que también tenía que entender en qué momento un huevo fecundado, y tal o tal, y la actividad neuronal... Así que a mí eso me puso a estudiar (risas).

*Juan Jacobo Hernández me contó que en la marcha de 1978, por los 10 años de la matanza de Tlatelolco, fue cuando los gays se atreven por primera vez a sacar unas pancartas y exigir sus derechos, al pasar las ven a ustedes, las feministas, y los apoyan, ¿cómo lo recuerda usted?*

Ya en el 78 yo tenía una relación con Carlos Monsiváis, ya había entrado en contacto con Juan Jacobo, con Max Mejía, con el mismo Alejandro Brito (pareja de Monsiváis); es decir, yo estuve cerca cuando se funda el FHAR (Frente Homosexual de Acción Revolucionaria) y Lambda. Estaba Alma Aldana, Claudia Hinojosa, de alguna manera eran mis compañeros y yo sí sentía que los dos movimientos éramos aliados y que teníamos que apoyarnos mutuamente, aunque muchas veces sentí un rollo como de «tú no eres lesbiana, entonces no te metas», pero eso lo he sentido en muchas otras ocasiones: «Tú no eres comunista, no te metas; tú no eres popular, tú no eres indígena...». Esta necesidad del particularismo y el detalle, pero bueno, los grupos también tienen sus tiempos y necesidades, y en la marcha de 1978 evidentemente que a la mayoría de las feministas que estábamos ahí nos pareció genial que salieran los gays.

*Sí, cuando sacan estas pancartas de «Sí, soy joto, ¿y?...».*

Claro, como «yo he abortado, ¿y?» o «soy feminista, ¿y?». No recuerdo nada muy específico de la marcha, pero sí fue muy emocionante porque en 1978, a nivel internacional en Estados Unidos, en Canadá, en Europa ya se veía esta alianza entre feministas y gays, y era «¡Por fin en México los gays salen y vamos a poder hacer cosas juntos!».

*¿Y pudieron?*

Yo creo que sí, hicimos muchas cosas... Lo que pasa es que a partir de 1978 yo me volví incondicional de Carlos Monsiváis, y Carlos era un personaje al que odiaban y amaban, y que marcó muchas cosas. Yo estuve muy cerca de las cosas que hizo Carlos y él me impulsaba. Cuando es el primer encuentro de sida que organiza el imbécil de (Jesús) Kumate (como Secretario de Salud), que fue en 1988, 10 años después de esa marcha, Carlos hace que me inviten a una mesa, porque también era importante que se viera que el tema del sida no sólo le interesaba a los gays. Carlos a mí me metió en muchas cosas: en el programa de Brozo, por ejemplo, y yo lo jalaba a mis cosas. Para mí era muy importante que un personaje intelectual, porque para mí era un intelectual, apoyara al feminismo. Entonces hicimos una pareja interesante de aliados. Y yo me llevo, hace mucho que no lo veo, pero yo me llevo con Juan Jacobo, con Max... también por el trotskismo me llevé con él; con Alma Aldana me llevé muy bien, con Claudia Hinojosa me llevé muy bien hasta que empezó de pareja con Adriana (Ortiz) y ahí hubo una diferencia, pero digamos, yo creo que en un momento determinado, por lo menos en el movimiento de las lesbianas, no sé si en el de los gays, también había la necesidad de diferenciarse de las demás feministas. Y sí hubo algunas lesbianas que nos vieron como culeras, es decir, como «ustedes no se atreven», y sí había una cierta radicalidad. Yo alguien a quien le tengo muchísimo cariño, aunque discrepo políticamente de ella, es a Yan María Castro, que ha sido de un valiente y de un coherente, pero para mí no tiene sensatez estratégica sobre cómo se hacen las cosas. Y supongo que el tema del aborto no les importa tanto a las lesbianas a menos que a una la violen en la calle. Yo siempre digo que la vida es como un gran pastel y para comértelo necesitas cortar una rebanada; el activismo es lo mismo, tú puedes coincidir con muchas causas, pero tienes que elegir una en la cual clavarte. Y para mí, clavarme en la del aborto sí significó tomar distancia de la causa de la violencia, tema en el que sí estaban metidas muchas lesbianas, y también el de la orientación sexual, aunque hasta la fecha yo sigo defendiendo los matrimonios igualitarios... Y me acuerdo, mira, hubo una primera sesión en la Asamblea Legislativa, recién gana Cuauhtémoc Cárdenas (la Jefatura de Gobierno del Distrito Federal), para hablar del tema de la orientación sexual y me invitan a dar una plática como antropóloga y con el tema del psicoanálisis sobre cómo se construye la orientación sexual, cómo el género no solamente son roles sociales sino también es en el psiquismo donde te identificas con lo femenino y lo masculino. Entonces Gloria Careaga protestó porque me invitaban a mí, que no soy lesbiana. Pero no se daba cuenta de que en ese momento yo era más conocida que Gloria Careaga y que el hecho de que fuera heterosexual le daba cierta legitimidad académica al tema del que iba a hablar como antropóloga; eso me pasó mucho. Y de repente decidí, «ok, no me voy a meter». Fui porque me invitaron mis amigos del PRD, y me parecía importante darle esta validez académica al asunto, pero si las lesbianas van a armar bronca de «por qué invitan a Marta Lamas y no nos invitan a nosotras», mira, yo lejos de Gloria Careaga, por favor.

*¿Cómo fue ese primer café que le invita Carlos Monsiváis en 1977? ¿Desde el principio él se abrió con usted, se salió del clóset?*
Carlos nunca estuvo en el clóset. Digamos, él quería entender cuál era mi posición... Yo estaba inhibida, a mí Carlos me imponía mucho al principio, ya al final éramos cuates y había otro tipo de relación, pero para mí claro que él era gay, no necesitaba que me lo dijera verbalmente. Yo estaba muy emocionada de que me hubiera reconocido. Él me dio a leer muchas cosas como John Boswell (quien historió la homosexualidad desde el medioevo). Además, fuimos a su casa y quedé encantada con sus gatos. Y Carlos empezó a formarme como un cuadro, me dio muchas lecturas que yo no iba a encontrar ni en el mundo de la antropología ni en el del psicoanálisis, y que tenían que ver justamente con el tema de la diversidad sexual. Era muy evidente que Alejandro Brito era su pareja; en ese momento yo tenía otra pareja y salíamos los cuatro, tres hombres y yo.

*Bueno, él siempre explicó que no lo decía de manera pública porque no quería que su obra fuera catalogada como gay.*
Él nunca dijo eso, eso lo dice Sabina Berman y yo dudo que él lo haya dicho así. Yo muchas veces le dije a Carlos, porque a mí algunos amigos gays me decían: «Dile que salga del clóset», y él me contestó: «Mira, Carlos Fuentes no anda por el mundo diciendo "Soy heterosexual". Hay un tema con la vida privada y con la intimidad, yo no me escondo, yo no escondo a mis parejas, yo tengo muy claro

cómo es mi vida, la gente sabe que soy gay, pero los heterosexuales no andan diciendo: "Yo soy buga, yo soy buga". Entonces yo no voy a andar diciendo». Sea por eso, sea por lo que sea, yo creo que la gente sabía que Carlos era gay, ¡todo México! ¿Para qué querían que lo dijera?

*Precisamente ahora que Braulio Peralta publica* El clóset de cristal, *dice que sólo quien no leyó a Monsiváis puede dudar que fuera gay, porque siempre escribió a favor de la diversidad sexual, especialmente en la revista de usted,* Debate feminista.

Sí. Nunca se casó, nuca salió de pareja con una mujer. Yo un día le dije «Carlos, vamos a casarnos tú y yo y sales del clóset como buga, va a ser genial». Me volteó a ver con cara de asco y me dijo (con todo desprecio): «¡Estás loca!». Pero yo sí le propuse matrimonio.

*¿Pero en serio?*

En serio, yo le dije: «Sería genial, cada quien en su casa con sus gatos, pero decimos que estamos casados».

*¿Y para qué?*

Nomás por dar la lata, por joder al mundo. «Estás loca», me contestó. A mí no me parece que Carlos estuviera en ningún clóset, ni siquiera de cristal, creo que simplemente estaba más allá de eso, él sí sentía que hacer explícito algo, cuando los demás intelectuales no lo hacen explícito, ya era un hecho de discriminación. Yo así es como lo interpreto, no he leído el libro de Braulio, pero habrá que ver.

*Los gatos eran un vínculo entre ustedes. ¿Cuántos gatos tiene ahora?*

Tengo tres, él llego a tener 13 o 14, y me hablaba en la mañana y me decía: «Necesito un nuevo pediatra —no un doctor, un pediatra— porque fulanito ya se fue a no sé dónde». Sí, teníamos un rollo muy fuerte por los gatos, y si no tienes pasión por los gatos es difícil entender el nivel de enfermedad mental que podíamos tener Carlos y yo en ese tema.

*¿Por qué le gustan los gatos?*

También es un rollo familiar: mi papá cuando vivía solo en Buenos Aires tenía una gatita; mi mamá vivía con sus papás y tenía un gatito, así que cuando se conocen y se vienen a México lo primero que hacen es conseguir un gato. Cuando yo nazco en México mi mamá me cuenta que me compraron una cuna que era de mimbre y el gato se acostaba encima, entonces yo lo primero que veía en la mañana era una panza de gato. Yo crecí llena de gatos, toda la vida tuve gatos y no imagino una vida sin gatos.

*Usted ha reconocido que Carlos fue su mentor, ¿qué es lo más fundamental que le aprendió la feminista al intelectual gay?*

Yo creo que esa mirada crítica y Carlos era... a ver, era muy duro en términos intelectuales, yo le enseñaba algo que había escrito y me lo podía deshacer, jugaba mucho al abogado del diablo y pensaba que había que ser muy estratégico para muchas cosas. Al principio, cuando empieza la reivindicación de los matrimonios gay, por un lado le parecía un absurdo que los gays quisieran casarse, pero dijo: «Ok, el tema es cómo se va a dar la batalla para que esto no se revierta». También tenía el mensaje de que había que bajarle al protagonismo. Él era muy protagónico porque era de una inteligencia y de una erudición que donde estuviera abría la boca y todo mundo volteaba a escucharlo, pero creo que bajarle al protagonismo era parte de su rollo en el sentido de darle fuerza a un movimiento, borrarse. Él se borró de *Letra S* para que Alejandro Brito fuera el director; él se borró de *Debate feminista*, fue su alma pero no quería aparecer; sabía que había que hacer muchas cosas sin tener crédito de que las estaba haciendo.

*Pero finalmente estaba detrás.*

Estaba detrás, claro, pero era por ese rollo (sonriendo) de que «Detrás de una gran mujer hay un gran hombre».

*¿Y ese hombre era Monsiváis para usted?*

Sí, totalmente. Carlos fue muy muy importante para mí intelectual y políticamente, aparte afectivamente, pero la parte afectiva es otro rollo.

*¿Tiene más amigos gays, es jotera, como llaman a las mujeres que se la pasan muy bien con los gays?*

Sí. Digamos, yo no salgo mucho, ha cambiado mucho mi vida, con quien más salía era con Carlos, y desde que no está no salgo. Sí tengo amigos gays, amigos muy importantes: Genaro Villamil, por ejemplo, el propio Alejandro Brito, algunos que no sé si están fuera o no del closet y no puedo decirte, pero sí me llevo muy bien, pero como soy bastante antisocial, no hago una vida de salir a antros y a restaurantes, pero tengo amigos de los dos, también tengo muchos amigos bugas.

*Y lesbianas, supongo.*

Mmm, lesbianas menos, curiosamente; tengo más amigos hombres que mujeres, digo, tengo amigas mujeres pero de mis amigas mujeres con las que me reúno sólo tengo una amiga que tuvo una larga relación con una mujer pero antes estuvo casada con un hombre, entonces no sé, yo creo que ella es más bien *bicicleta*. En el grupo de las lesbianas yo creo que no me quieren mucho.

*¿Por qué?*
Habrá que preguntárselo a ellas.

*¿Qué se han dado mutuamente los movimientos gays y feministas? Finalmente el machismo es el enemigo común.*
Yo creo que sí se han nutrido mutuamente, y hay causas en común, pero todavía veo en el movimiento feminista mucha homofobia en el sentido del miedo a que te tachen de lesbiana.

(Suena su celular. Marta se disculpa y contesta. Le piden cita para grabar en video su opinión sobre Donald Trump, en la víspera del tercer debate presidencial de Estados Unidos. Al colgar comenta sobre el candidato republicano: «Es de un machismo patético, y es un tipo inseguro, es una mierda»).

Yo estaba diciéndote que todavía en algunas feministas, no lo veo en una generación de jóvenes, ahí siento mucha más apertura, pero sí sentí que a algunas de mis compañeras les pesaba mucho esta cosa de que «son feministas porque son lesbianas». Siempre se ha tratado de poner una distancia de «no nos confundan». Eso me parece un error y también una cierta reivindicación por parte de algunas de las compañeras lesbianas como de «nosotras somos diferentes, no nos metan». Y tienen razón, sufren una opresión distinta, todas compartimos la opresión o la discriminación por ser mujeres y ellas tienen un plus de discriminación justamente por la orientación sexual. Hay algunas que han circulado muy bien entre los dos movimientos, hay aliadas de ambos lados. Y sí creo que, así como hay feministas muy confrontativas, también ha habido lesbianas muy confrontativas. Entonces, yo más bien vería que habría las sumas más reformistas, mezclando lesbianas y feministas, y las más escandalosas por radicales, por confrontativas, donde también hay de los dos. Lo que me dio mucho gusto fue ver en la marcha de abril en contra de la violencia, que muchas de las chicas jóvenes ya están en otro rollo, creo que hay un cambio generacional con respecto a la orientación sexual muy muy positivo donde eso ya no es un *issue* adentro del movimiento, más bien es un paraguas de causas y adentro está mucho más mezclado, ya no está de un lado el movimiento gay y el movimiento feminista de otro. Pero a lo mejor es una apreciación visual nada más porque no he hablado con las chicas como para saber si es así o no. Un poco lo veo con mis alumnos y amigos más jóvenes.

*Supongo que en la universidad ya no hay esto, al menos no es políticamente correcto ser homófobo, ser machista. ¿Cómo lo ve en las aulas?*

Pero es distinta la UNAM al ITAM. En el ITAM, porque vienen muchos chicos de escuelas religiosas todavía hay homofobia. Cuando es la semana de la diversidad, de repente hay pintas homófobas en los baños, claro que no lo hacen abiertamente porque no es políticamente correcto. Yo creo que la composición de clase social en el ITAM sí favorece más homofobia o trae más homofobia porque si los chavos acaban de salir de un colegio totalmente católico, segregados porque el colegio era sólo de hombres o sólo de mujeres, y han oído todo el tiempo ese mensaje homofóbico, llegan al ITAM y aunque hay un marco democrático y son muy modernos, en el tema de la diversidad se cortan. Se tardaron mucho en tener una semana de la diversidad. La UNAM es otra cosa, también por clase social, por el tipo de universidad que es; ahí sí creo que hay muchísima menos homofobia honestamente, no dudo que haya personas homófobas, pero creo que ya los chicos han comprendido que no es por ahí el asunto.

*¿Le haría alguna crítica al movimiento gay?*
Sí, la única crítica, y eso se los he dicho en varias reuniones, es que no han logrado transmitir al público cómo se construye la orientación sexual. Al reivindicar el derecho a amar o a acostarte con quien tú quieras, han dejado de lado el tema estratégico. Cuando yo doy mis talleres sobre qué es género, el ejemplo que siempre pongo es cómo se construye la orientación sexual y el papel importante que tiene el inconsciente, cómo no se elige, cómo tú no eliges de quién te erotizas. Yo como buga no me erotizo con todos los hombres, me erotizo con algunos por ciertas cosas que a veces ni yo misma comprendo. Entonces, yo le decía mucho a Alejandro Brito: «Tienen que dar una explicación sobre la orientación sexual que vaya más allá del derecho a tenerla». A mí me sorprende cuando pregunto en un taller ¿por qué hay homofobia? Porque se sigue pensando que lo natural es la complementariedad procreativa. Entonces, hay un pene y una vagina, pero si uno empieza a explicar que la complementariedad reproductiva no implica una complementariedad erótica, intelectual, etcétera, y qué son los procesos de simbolización, cómo si tú creces

en una sociedad totalmente heteronormativa donde te enseñan papá, mamá e hijito, te están troquelando con esas imágenes. Mientras que en otras sociedades que han permitido que haya diferentes tipos de representaciones hay otras libertades. Es necesario explicar que la libido, como Freud bien dijo, es indiferenciada y nada más tiene un cuerpo de hombre y un cuerpo de mujer, pero que tú voluntariamente no la puedes encauzar porque se encauza por una serie de procesos involuntarios. Ha sido tan dura la batalla del movimiento gay, es tan fuerte la homofobia en México, que han concentrado todas las fuerzas o en conseguir derechos o en enfrentar discursivamente la homofobia, y no se han dado el tiempo para construir una estrategia basada más en el conocimiento y en la explicación de eso.

*En la educación.*

Sí, es una educación que requiere manejar ciertos conceptos y tener una explicación que convenza, porque el conocimiento también hay que vestirlo de una manera que convenza. Si tú le dices a la gente «Es que los griegos...», «sí, pero la referencia a los griegos es de hace siglos». No, es que hoy, y yo creo que esa misma crítica se la haría al movimiento feminista. No es que yo piense que las feministas lo han hecho mejor, para nada. Yo creo que mucho del reclamo feminista es muy visceral y muy mujerista, lo que ha generado reacciones de muchísimas mujeres que dicen: «Yo no soy feminista». Estos movimientos sociales, que han tenido muchas dificultades para constituirse como tales, también han tenido muchas resistencias para otorgar representatividad en ciertas personas que puedan argumentar. Así como los bugas no tienen problema en tener sus líderes machistas, las feministas sí tienen problema en tener sus líderes feministas y los gays también. Por eso el reclamo a Carlos era que siendo una figura tan importante y un líder intelectual, debía al mismo tiempo levantar la bandera más abiertamente. Puedo entender desde ahí ese reclamo, pero Carlos decía: «Yo también tengo mi vida privada y mi corazoncito».

*Claro que sí, por ejemplo, si una comunicadora en horario estelar dijera que es lesbiana, si una eminente priista dijera que es lesbiana, se abonaría en normalizar el tema.*
Sí, que es lo que ha pasado en otros países.

*Y ser así no les quita mérito.*
Exactamente. Y sí, yo creo que en la medida en que las figuras que están en posiciones de poder muestren su orientación sexual... Pero también han de pensar lo mismo que pensaba Carlos: «¿Y yo por qué? Es mi vida privada. Yo no me escondo y la gente sabe, ¿pero por qué tengo que verbalizarlo?».

*Bueno, esa sería la siguiente etapa, cuando ya sea tan normal la cuestión que no nos importe, que veamos a la persona y ni siquiera importe si es hombre o mujer.*
Claro.

*Para la diversidad sexual, ¿la jerarquía católica es un dolor de ovarios o de huevos?*
Para la diversidad sexual y para el feminismo y para la democracia, la jerarquía católica es el enemigo principal... Y la jerarquía evangélica, y las iglesias y el fundamentalismo

religioso, porque también hay católicos sensatos como las Católicas por el Derecho a Decidir, pero el fundamentalismo religioso que se concentra en la jerarquía católica, también en la jerarquía evangélica y en el Partido Encuentro Social, es decir, el pensamiento fundamentalista religioso es el gran enemigo del feminismo, del movimiento gay y de la posibilidad de tener una sociedad democrática y respetuosa.

*Ahí habría que empezar con esa educación como estrategia, de explicar que el subconsciente, la libido manda y no podemos controlarla a voluntad.*

Claro, y lo que dijo la Comisión de Derechos Humanos en Europa: lo que hace ética una relación sexual no es el uso de órganos y orificios del cuerpo, porque un hombre heterosexual que viola a una mujer lo está haciendo de manera «natural» y eso no es ético, sino el consentimiento. Sigue siendo el sexo verdaderamente lo que más conflicto mete en la política y en las personas, y la concepción que se tiene del sexo como si fuera un tema de voluntad, y no entender que la erotización es otra cosa.

*Como tener los ojos azules o negros.*

Sí, claro. Y la valoración que hay sobre los ojos azules en nuestro país, de privilegio, y en los ojos negros el racismo. Todo eso, el racismo, el sexismo, la homofobia, la transfobia, todas esas discriminaciones que no apuntan a ver qué es lo verdaderamente humano y ético en una relación, en un desempeño, en un trabajo y demás.

*¿Qué palabra odias más: machismo, misoginia u homofobia?*

(Lo piensa unos segundos) Yo creo que odio más *discriminación.*

*Cuando la llaman «ícono del feminismo», ¿qué siente?*
Siento que estoy vieja (risas). No, creo que hay varios íconos del feminismo: Marcela Lagarde es otro. Por un lado es muy halagador que se reconozcan 45 años de activismo, pero por el otro lado yo sé que dentro del propio movimiento feminista hay muchas feministas que discrepan y a las que no les gusta. Entonces yo creo que sería bueno también entender que se puede ser feminista de muchas maneras y que debería de haber más íconos. A mí me parece un tanto lamentable que tú preguntas quiénes son feministas y aparecen dos, tres nombres.

*Y también supongo que hay íconos feministas masculinos, es decir, hombres.*
Sí, aunque menos. Monsiváis era uno de ellos. Lo que tenemos son grandes aliados, Pepe Woldenberg ha sido un gran aliado del feminismo, pero no son muchos, y sí son más gays, curiosamente: Genaro Villamil, Alejandro Brito, varios, me acuerdo mucho de (el escritor y crítico teatral) Bruce Swansey y (su pareja el teatrero) José Ramón Enríquez, (el antropólogo y activista histórico) Javier Lizarraga. Pero piensa que tú tienes que meterte en un tema y cuando te metes en un tema dejas de ver los otros temas. Si piensas que los gays tienen que enfrentar la homofobia y buscar fundamentos, ejemplos, escribir sobre eso, es comprensible que se clavan en su lucha. Algunos sí hacen esa ampliación y el apoyo al tema, como en *Letra S* donde han sacado muchísimos textos de feministas, pero hay muchos

intelectuales gays que están muy metidos en su tema, de la misma manera que muchas intelectuales feministas no-más ven lo que les toca a las mujeres. Yo no haría un reclamo pero sí creo que vale la pena que haya personas que hagan puentes entre las dos causas.

*Usted me ha dicho que no se crió...*
Yo te hablo de tú y tú me hablas de usted, háblame de tú.

*Bueno, me decías que te criaste no como creyente, ¿pero crees en algún ser superior o eres totalmente agnóstica?*
Soy totalmente agnóstica, soy atea, además, creo que no existe dios. No solamente no creo, sino que como antropó-loga entiendo que dios es una construcción humana, que las sociedades lo han necesitado porque la explicación so-bre el origen de la vida y el origen nuestro es todavía muy li-mitada. Hay gente agnóstica que no sabe si hay o no hay un dios y no le interesa, yo digo que mi diferencia es que yo sí soy atea. En ese sentido yo no soy un ser espiritual que crea que hay, no sé, una energía, soy como muy materialista en ese sentido.

*Cuando en 1991 fundas GIRE (Grupo de Información en Reproduc-ción Elegida), dices «Aquí mando yo», ¿te reconoces autoritaria?*
Me reconozco con autoridad, que no es lo mismo que ser autoritaria. Yo venía de 20 años, de 1971 a 1991, de estar en un movimiento muy horizontal, muy democrático donde todas tomábamos las decisiones, donde yo me desesperaba pero me aguantaba, donde yo hacía muchas cosas y no se me daba crédito. Y a principios de 1991, en Chiapas, Patrocinio González intenta despenalizar el aborto y la iglesia se opone

con (el obispo) Samuel Ruiz a la cabeza, y veo que tenemos reuniones y reuniones y no hay la posibilidad de sacar una respuesta rápida y oportuna, yo digo: «Ya no quiero esto, que sigan así las que quieran, yo necesito algo mucho más operativo, mucho más rápido, necesito organizar algo distinto». Me jalo a Patricia Mercado porque somos muy complementarias, y le digo que voy a organizar una ONG, que voy a ser la directora y a echar la línea, pero también que voy a escucharla y aprender mucho de ella. GIRE va a cumplir 25 años, tiene una estructura con una directora, que hoy es Regina Tamés, y hay coordinaciones, y sigue funcionando igual: la directora escucha a los coordinadores, muchas de las decisiones las toman los coordinadores, la gente está encantada, GIRE es de las ONGS que da mejores condiciones de trabajo, pero la cabeza es una y toma las decisiones. El centralismo democrático tiene ciertas ventajas, GIRE no es un movimiento, es una oficina que tiene una estrategia de litigio jurídico y que necesita funcionar, y funciona como equipo. Somos una oficina muy eficiente y además el equipo está muy contento, hay mucha gente de otras ONGS que se quieren venir a trabajar a GIRE.

*Ese cambio de estrategia para pasar de la postura a favor o en contra del aborto, a quién debe de tomar la decisión sobre la ILE, ¿también lo consultaste con Carlos Monsiváis?*
    No, Carlos lo que me dio fue este libro de Saul Alinsky que se llama *Rules for radicals, Reglas para radicales*, y dice que hay que tener objetivos radicales y métodos reformistas, y eso me influyó mucho. Aparte yo me inspiré en lo que estaba pasando con las francesas y con las gringas: Gisèle Halimi funda en Francia una organización que se llama Choisir,

Elegir, y en Estados Unidos se habla del «*choice*», entonces yo me inspiro en esto para plantear el tema de la decisión. Carlos fue muy instrumental en el sentido de irnos presentando personajes, venir a nuestras conferencias de prensa, en hacer una serie de cosas. Pero ahí también tiene que ver mi propio capital cultural y que he sido una lectora voraz y he tenido el privilegio de viajar y, en la época en la que no había internet, comprar libros fuera del país. Yo llegaba a México con una maleta llena de libros. El conocimiento, de nuevo: si tú sabes que las batallas que estás librando en México se han librado en otras partes, aprendes buenas lecciones.

*¿El 24 de abril de 2007 (cuando se aprueba la interrupción legal del embarazo en la Ciudad de México hasta las 12 semanas de embarazo) fue el día más feliz de tu vida?*

No, fue un día muy importante pero no fue el más feliz de mi vida (risillas). Los días más felices de mi vida tienen otro tipo de componentes...

*Por ejemplo.*

No, eso no, eso tiene que ver con mi vida privada, pero son más otro tipo de cosas. No, yo creo que fue un día muy muy importante, pero han sido, por ejemplo, más importantes los días en los que he presentado un libro que es un trabajo como muy mío. Yo creo que la despenalización del aborto fue una labor de mucha gente y no lo hubiéramos hecho sin el contexto poselectoral del 2006 y con la cantidad de aliados que se movieron, entonces no lo viví como un triunfo mío sino de la sociedad mexicana, de la izquierda, de la inteligencia política del PRD y de otros partidos, porque fueron cinco partidos los que votaron. Y me siento muy feliz de ser parte de ese proceso, pero no es un mérito mío; me dan más felicidad mis méritos propios.

*Creo que no eres muy optimista sobre que se logre la despenalización del aborto en todo el país, ¿confías en verla antes de irte?*
    Yo no confío, espero que la derecha no avance más, está avanzando en el mundo y en México, y si la derecha avanza..., va a ser muy interesante el proceso de la Asamblea Constituyente y las elecciones del 2018, ver quién gana. Sí, me preocupan las expresiones fascistas, creo que Donald Trump es totalmente un cerdo fascista, y también me preocupa hasta dónde México se va a poder librar de lo que parece ser un reflujo, como que damos tres pasos para adelante y luego vienen dos pasos para atrás y creo que estamos en los dos pasos para atrás. Lo que acaba de ocurrir en Veracruz con estas reformas para proteger la vida desde el momento de la concepción, lo de los matrimonios igualitarios. Álvaro Mutis decía: «Fallamos como especie». Y yo sí temo mucho que vamos a entrar en tiempos más oscuros. Igual creo que hay que seguir luchando y resistir y, sobre todo, que las luces, el conocimiento y el estudio pueden ayudar, a lo mejor, a contener estas fuerzas fundamentalistas.

*¿Qué te saca de quicio?*
    El fundamentalismo religioso, la mochería, la ignorancia de ciertas personas. Yo considero tanto a quienes trabajan para mí en la casa como las personas más inteligentes que conozco y valoro mucho sus opiniones; o sea, la ignorancia no es un problema de que sean universitarios o no universitarios, sino de la gente cerrada, la gente mocha, la

gente que antepone el dogma a una posibilidad de razonar; eso me saca mucho de quicio.

*Ahora debes estar muy fuera de quicio con todas estas marchas y la reacción de las iglesias contra el matrimonio igualitario.*
Absolutamente. Lo que también me saca mucho de quicio es la crueldad hacia los animales, es una parte que me parece que es de un nivel de salvajismo y de arbitrariedad. Si voy manejando y veo a alguien que patea a un perro, freno y me le aviento cual fiera.

*¿Eres vegetariana?*
No totalmente, voy en camino; como muy poca carne, en general como muy mal, como pan y coca cola y pasta. Tengo amigas muy vegetarianas, Lili (Liliana Felipe) y Jesusa (Rodríguez). Yo no soy tan vegetariana porque ser congruentemente vegetariana implica dejar de usar zapatos de cuero y toda una serie de cosas, y a veces hay cierto fundamentalismo en el tema. Yo sí creo que hay que hacer consciencia de lo que implica la crueldad hacia los animales y hacer campañas políticas e ir bajando poco a poco todas las acciones que habría que hacer para cambiar, pero sí creo que hay que dejar de comer carne.

*Entre tus placeres no está la comida, entonces.*
No, para nada. Los chocolates son mis placeres (risas).

*¿Le temes a algo a tus 69 años?*
Le temo a la invalidez. Me gustaría morir así, *pack*, como se murió (el filósofo) Bolívar Echeverría dormidito en su cama. Le temo a una muerte como la de Carlos Monsiváis: tras dos

meses entubado en un hospital. Temo qué le va a pasar a mi hijo cuando no esté yo, porque mi hijo tiene una discapacidad neurológica y eso complica sus temas de autonomía. Pero fuera de eso, no sé, he tenido una vida muy buena, siempre he sido muy privilegiada en no pasar por privaciones económicas, en dedicarme a lo que me gusta: me encanta dar clases, hacer investigación, me encanta el activismo.

*Sigues muy activa, ¿no?*
Sí, con poca vida social, pero muy activa. En el principio de GIRE tuve miedo a las agresiones de los Provida, porque nos amenazaron. En varios lugares se acercaban, como una vez un señor muy arreglado se acercó y yo pensé, «¡ya ligué!». ¡No!, llegó a decirme que ojalá me fuera al infierno y cosas por el estilo, muy, muy agresivo. Pero ahora no tengo miedo de la agresión. Temo que el nivel de descomposición del país se agrave porque tengo muchos sobrinos jovencitos que no sé qué vida van a tener.

*¿Sobrinos de cariño?*
Sí, yo me construí una familia mexicana porque aquí en México nada más vivimos mi hijo y yo. Mis tíos, primos y sobrinos carnales viven en Argentina, pero tengo mis sobrinos mexicanos y tengo a los hijos de mis sobrinos mexicanos.

*¿Por qué eres tan celosa de tu vida personal?*
Por eso, porque es una vida personal (risas).

*¿Pero lo personal no es político?*
Sí, claro. Y yo he hecho muy públicas muchas de mis cosas personales pero también hay una parte que es sólo mía.

Yo ya elegí una causa, bueno, dos causas porque ahora estoy con la del trabajo sexual, y son dos causas complicadas. Yo no tengo el menor inconveniente en hablar de mis abortos: yo tuve un aborto espontáneo y tuve un aborto elegido y lo tuve en las mejores condiciones, con mi ginecólogo. Fui manejando y me hizo una aspiración. Fue aquí en México, cuando era ilegal, y he hablado de eso públicamente, y es más, los Provida intentaron ponerme una demanda pero ya había prescrito. Puedo decir en qué año lo tuve, con quién lo tuve, esa es mi parte de lo personal es político, hablar de cómo yo, como mujer privilegiada cuando estaba el aborto prohibido, pude ir con mi ginecólogo de confianza a hacerme un aborto en su consultorio por el método de aspiración, que era muy sencillo. Y que eso que yo pude hacer, legalmente no está para todas las demás mujeres. Esa parte de mi intimidad no me importa contarla y ha sido parte de mi bandera política, pero ha habido otras intimidades que sí son mis intimidades.

*¿Entonces nos vamos a perder de leer sus memorias?*
Sí. Van a poder leer dos libros que saldrán, uno ahora en fin de año (2016) sobre comercio sexual, y otro el año que entra por los 10 años de la interrupción legal del embarazo. Memorias no creo.

*¿Me podría compartir alguna vanidad?*
Yo fui troquelada por mi mamá, porteña argentina, a que hay que andar arreglado. Entonces, aunque mi estilo no es muy fresa, sí me gusta la ropa, me gusta arreglarme en un estilo más sport; creo que ahí está mi vanidad, no me interesan las joyas y no tengo joyas, pero sí tengo muy buena ropa.

*¿Qué hace cuando no está en el activismo, en la academia o leyendo por estudio?*

Leo por placer, como no tengo televisión, si necesito ver algo subo al departamento de mi hijo y ahí veo la televisión, pero este año he subido nada más una vez a ver el programa de Brozo, que empieza a las 11:30 de la noche, vi nada más media hora y estaba moribunda porque me acuesto muy temprano. Yo leo mucha literatura, básicamente en inglés y en español, en el Kindle. Para mí, la lectura es verdaderamente un placer, mis gatos son un placer. Ahorita tengo dramas gatunos porque Leonardo está celoso de Melusina y me la paso separándolos, bajo a Leonardo y lo tengo que estar vigilando, me divierto mucho con mis gatos.

*¿Con qué soñaba la joven feminista en los 70 y con qué sueña hoy?*

A ver, la joven feminista de los 70 sí soñaba con una apertura social distinta. Antes de ser joven de los 70 fui estudiante del 68. Sí, soñaba con un México sin racismo, sin clasismo, sin machismo. Y ahora me doy cuenta de que es mucho más difícil. Hay veces que pienso que el clasismo y el racismo son peores que el sexismo y que la homofobia, y creo que hay una población que padece el racismo y el clasismo que no está tan organizada como lo estuvimos las feministas y los gays. Sí, veo un horizonte no muy promisorio.

*¿Estás decepcionada?*

No, estoy preocupada más que decepcionada. Tengo una parte muy pragmática y desde hace mucho tiempo me doy cuenta de que los poderes fácticos son absolutamente brutales, los medios de comunicación, las iglesias, qué puede hacer una población como la nuestra tan vulnerable en tantos sentidos, contra estos poderes tan fuertes económica, simbólica e ideológicamente. Por eso fue muy interesante cuando Carlos me propuso lo de aparecer en el programa de Brozo, porque aunque fui muy criticada por las feministas por respaldar a ese machista, llevar el mensaje feminista a lugares rarísimos en todo el país, comunidades y demás, sirvió para que se pueda medio ver un horizonte ahí lejos, pero falta mucho.

*¿Con qué sueñas ahora?*
Estoy soñando mucho con cosas de mi infancia, al parecer cuando uno se hace viejo esta memoria de lo inmediato empieza a fallar y como que está más presente la memoria de las cosas anteriores. Tengo muchos sueños muy divertidos y he soñado con mi papá, que murió muy joven, de 51 años en 1973. Espero que no sea premonitorio de mi muerte porque dicen que cuando uno empieza a soñar tan atrás, es por algo.

*¿Te falta hacer algo?*
Sí, ahora quiero lograr la regulación de mil nuevas formas de comercio sexual para que las trabajadoras sexuales no sean perseguidas y extorsionadas como lo son. Eso me falta como meta política. Quiero tener más gatos, mi hijo no me deja, dice que ya tres es suficiente y tengo que pelearme con él para que vengan más gatos a la casa.

*De existir la reencarnación, ¿te gustaría reencarnar en hombre?*
No creo en la reencarnación, pero me gustaría reencarnar en gato.

*¿Un gato cómo?*

Un gato en mi casa, un gato en casa de un Monsiváis, de Marie Jo Paz, de la gente que ama los gatos, no un pobre gato callejero de estos que madrean. Más que un ser humano, sería divertido probar ser animal.

*¿Y gato macho?*

No, gata, y tener varias camadas y dar leche. Me encantó amamantar, fue uno de los placeres físicos más ricos y eróticos.

*¿Has pensado en tu epitafio?*

No, no creo que me vayan a poner epitafio; me parecen una mamada los epitafios.

*¿Y has dispuesto si quieres que te cremen y dónde esparzan tus cenizas?*

No, que donen mi cuerpo a la ciencia. Siempre le he dicho a mi hijo: «Regala mi cuerpo para que los estudiantes puedan hacer algo con él, regala los órganos que todavía funcionen». Yo se lo he dicho toda la vida, pero quién sabe si mi cuerpo viejo sirva, pero mejor que investiguen, me encantaría que tuviera una utilidad científica más que lo cremen o lo pongan en una tumba.

Cuando apago la grabadora, Marta se adelanta a pagar la cuenta de los cafés sin hacer caso a mis objeciones. Incluso abona algo más a la propina que insisto en dejar. Acepta sin problema que le tome unas fotos y posa seria, «no me gustan las fotos sonriendo». Después de ocho o diez disparos me corta: «¡Ya, no seas obsesivo!».

*Damas y adamados* de Antonio Bertrán
se terminó de imprimir y encuadernar en marzo de 2017
en Diversidad Gráfica, S. A. de C. V.,
Privada de Avenida 11, 4-5, El Vergel, MX-09880, Ciudad de México